ROBERT BÉLANGER

VOUS

PRÉSENTE

VINAIGRE

OU

MIEL

1974 — 1re édition
1975 — 2e édition
1977 — 3e édition
1979 — 4e édition
1982 — 5e édition
1985 — 6e édition
1986 — 7e édition

Couverture et divisions: **Jacob Benaroch**

Dessins: **André Letendre**

Scénario des dessins: **André Letendre et Roger Côté**

Maquette: **Roland Marquis**

Lithographié par Interlitho Inc.
254 Benjamin-Hudon, Ville St-Laurent

VINAIGRE ou MIEL

PAR

© 1974 Ottawa, Robert Bélanger
Dépôt légal: 3e trimestre 1974
Bibliothèque Nationale du Québec

ISBN: 2-9800578-0-0

INTRODUCTION

Il n'y a pas de réponse définitive à la question "comment éduquer son enfant". Les méthodes éducatives d'aujourd'hui comme celles d'hier sont perfectibles. Elles comportent des imprécisions et des lacunes, des points forts et d'autres plus vulnérables. C'est pourquoi, nos affirmations ne doivent pas être considérées comme dogmes, mais comme sujets de réflexion, d'interrogation et de discussion. Certaines de nos opinions sont le fruit de notre expérience professionnelle; d'autres reprennent les points de vue d'auteurs contemporains (Cf. références, p. 354).

Lorsque nous proposons des solutions possibles à des problèmes particuliers, nous ne prétendons pas que ces solutions soient les seules valables, ni qu'elles peuvent s'appliquer indifféremment à tous les enfants et à toutes les familles.

Chaque enfant est unique; chaque famille aussi. Les difficultés rencontrées sont à ce point diversifiées et complexes qu'on ne saurait prescrire de recettes efficaces pour tous.

Dans ce livre, nous plaidons en faveur de méthodes actives et positives qui favorisent chez l'enfant la confiance, l'estime de soi et le sentiment de compétence.

D'emblée, nous rejetons l'idée que le parent doive laisser l'enfant libre de choisir en toutes choses, libre de faire ce qui lui plait quand bon lui semble. Nous affirmons plutôt que l'enfant ne peut apprendre à faire des choix que graduellement, au fur et à mesure qu'il se développe. Nous croyons qu'il a besoin d'être guidé, dirigé et protégé par des parents aimants et consistants qui exercent sur lui une surveillance appropriée et fixent des limites raisonnables à son comportement.

Nous pensons aussi que l'estime de soi chez l'enfant ne peut se développer qu'en conjonction avec le contrôle de soi, le sens des responsabilités et le sentiment d'être utile aux autres.

De plus, nous croyons que les méthodes d'éducation positives doivent, à l'occasion, être complétées par un usage judicieux de mesures punitives* et, exceptionnellement, par le contrôle physique de l'enfant**.

Nous savons aussi qu'il est impossible d'éduquer des enfants sans faire d'erreurs. Pourtant, lorsque l'enfant se sait aimé par ses parents, ces erreurs ne causent généralement aucun dommage irréparable.

Enfin, nous sommes conscients qu'une vie familiale ne peut être exempte de moments difficiles. Les parents comme les enfants doivent s'attendre à vivre des sentiments de tristesse, de déception, de colère et de révolte. Les tensions et les crises familiales occasionnelles sont inévitables, voire nécessaires au progrès des parents et des enfants.

* Les mesures punitives dont nous parlons ici sont la désapprobation, l'avertissement, l'isolement bref, le retrait de privilège, l'obligation faite à l'enfant de s'excuser ou de réparer le dommage qu'il a causé.

** Contrôler physiquement un enfant, c'est le maintenir immobile en le serrant contre soi pour l'empêcher de frapper quelqu'un ou de briser des objets ; ou encore, c'est l'action de prendre l'enfant fermement par la main ou le bras pour le diriger quelque part ou lui faire accomplir une tâche.

Chapitre I

Les activités exploratrices

Dès sa naissance, le nouveau-né entend, sent, voit, goûte et éprouve des sensations lorsqu'il est touché, caressé, transporté, nourri*, baigné et changé de couche. Il éprouve la froideur et la chaleur, la rugosité et la douceur des objets et des personnes qui entrent en contact avec lui.

Dès sa naissance, le nouveau-né est déjà doué de curiosité. Il est déjà un ''explorateur''.

* Si vous nourrissez votre bébé à la bouteille, prenez-le dans vos bras pour lui donner le biberon (plutôt que de lui donner au berceau) afin qu'il puisse bénéficier au maximum de toutes ces sensations.

OFFREZ-LUI L'OCCASION D'EXPLORER AVEC SES YEUX

Dès les premières semaines de sa vie, le bébé commence à explorer avec ses yeux.

C'est pourquoi, il est bon de lui faire passer les moments où il est réveillé dans des endroits bien éclairés et d'installer devant ses yeux des objets variés aux couleurs vives. Vous pouvez, par exemple, suspendre au-dessus de son berceau des dessins et des objets de formes et de couleurs variées. Vous pouvez confectionner vous-mêmes ces mobiles avec du fil, des objets divers, des morceaux de tissu, de carton ou de papier.

Les mobiles légers suspendus à un fil ont l'avantage de bouger, ce qui est une invitation supplémentaire à explorer. Pour favoriser la curiosité de bébé, il est bon de les lui retirer de temps en temps, soit pour lui en mettre des nouveaux ou simplement pour les lui redonner à un autre moment.

Après quelques semaines, vous pourrez observer que votre bébé commence à suivre le mouvement de ces mobiles,* de même que le mouvement des personnes et des objets que vous faites bouger devant lui.

* Il est important d'installer ces mobiles dans le champ de vision du bébé. Pendant le premier mois, ces mobiles devront être placés à environ huit pouces de son visage. Par la suite, vous les éloignez peu à peu en fonction des réactions du bébé. Vers l'âge de 4 mois, son habileté visuelle sera comparable à celle de l'adulte.

Favorisez l'exploration de bébé en le prenant sur vos genoux de temps en temps ou en l'assoyant dans un siège d'enfant dans des endroits d'où il pourra observer les **formes,** les **couleurs** et le **mouvement** des objets et des personnes de son environnement.

Au fur et à mesure qu'il grandira, offrez-lui la possibilité d'explorer avec ses yeux des objets nouveaux par leur forme et leur couleur.

Vers l'âge de huit ou neuf mois, il sera en mesure de se déplacer à quatre pattes et d'explorer avec encore plus d'efficacité.

Vers l'âge d'un an, il pourra feuilleter avec vous des livres d'images ou des catalogues illustrant des objets familiers que vous identifierez avec lui en les appelant par leur nom exact et en les prononçant correctement.*

Lorsqu'il fera ses premiers pas, vous l'observerez en train d'explorer attentivement avec ses yeux tous les objets auxquels il peut avoir accès. Laissez-le faire, sauf, bien sûr, s'il est en danger de se blesser gravement.

Bientôt, il voudra explorer son corps et le corps des autres. Ce sera alors le temps de lui apprendre à nommer toutes les parties de son corps, y compris ses organes génitaux.

Bientôt aussi, il manifestera de l'intérêt pour la télévision. C'est l'âge pré-scolaire où l'enfant de trois ou quatre ans apprend à un rythme accéléré.

Il peut, à cet âge, apprendre beaucoup en regardant les émissions pour enfants parce que ces émissions sont conçues pour eux dans un but d'enseignement.

* **Un enfant de cet âge est incapable de fournir une attention soutenue. Il n'est pas question, non plus, de le forcer à faire une telle activité.**

OFFREZ-LUI L'OCCASION D'EXPLORER LES SONS

Même au cours des tout premiers mois, faites-lui entendre des sons et des bruits. Evitez les cris et les bruits qui le font sursauter. Bien sûr, bébé ne peut vous répondre, mais parlez-lui quand même beaucoup. Il entend, il explore les sons, ça l'amuse et il apprend.

Donnez-lui souvent la possibilité d'écouter la radio et le phono (à volume normal) lorsqu'il ne dort pas. Lorsqu'il sera capable d'émettre des bruits avec sa bouche, répondez à ses bruits sur le même ton. Dès qu'il commencera à saisir et à manipuler des objets avec ses mains, donnez-lui des objets et des jouets qui font des sons et des bruits. Quand il fera entendre ses premiers gazouillements, encouragez-le en faisant vous-même des sons avec votre bouche. S'il se met à explorer les sons en criant, ne le grondez pas. Ignorez ses cris et intéressez-vous à lui au moment où il émet des sons plus harmonieux.

Lorsqu'il fera du bruit en manipulant des objets ou en frappant dessus, voyez cela comme un progrès et laissez-le faire. Evitez surtout de le gronder pour cela. Si le bruit devient insupportable pour vous, présentez-lui une autre activité ou un objet qui fera un bruit plus harmonieux et plus supportable. Mettez à sa disposition de petits instruments de musique (grelot, tambourin, flûte, vibraphone) que vous pouvez acheter ou confectionner vous-mêmes, et encouragez-le à jouer avec ces instruments.

N'oubliez pas de parler beaucoup avec lui; c'est très important pour qu'il apprenne à parler. Si vous ne savez pas trop quoi lui dire, décrivez en détail vos activités dans la maison au fur et à mesure que vous les faites, de même que ses activités à lui.

PERMETTEZ-LUI D'EXPLORER AVEC SES MAINS

Lorsque vous verrez que bébé commence à vouloir saisir les objets avec ses mains, enlevez de sa portée les petits mobiles et les objets qu'il pourrait avaler. Remplacez-les par des objets plus gros, de même que par des mobiles plus gros attachés à des ficelles. Les objets suspendus ont plus de chance d'être en mouvement et d'inviter ainsi le bébé à explorer. La variété et la brillance des couleurs ont également beaucoup d'importance, de même que la variété des textures (molles ou dures, douces ou rugueuses) et des formes. Si vous observez que bébé manifeste moins d'activités exploratrices à l'égard de ces objets, c'est qu'il est temps de les remplacer par d'autres objets. Vous verrez alors que bébé recommencera à explorer.

Et puis, un beau jour, bébé sera capable de se traîner, puis de se déplacer à quatre pattes. C'est alors que vous devrez vous armer de patience pour permettre à ce petit touche-à-tout de satisfaire sa curiosité, tout en exerçant assez de surveillance pour lui éviter les accidents et en enlevant de sa portée les poisons et les objets avec lesquels il pourrait s'étouffer. Parmi ces poisons et objets dangereux, mentionnons les détersifs, les abrasifs, les peintures, les solvants, les médicaments, les insecticides, herbicides et pesticides, les outils (et les objets coupants), les boulons, les clous, les vis et autres petits objets qui pourraient être avalés.

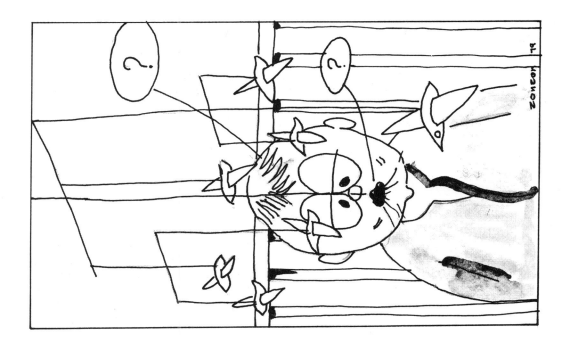

En autant que ce qu'il touche ou ce qu'il fait n'est pas vraiment trop dangereux, laissez-le faire. Permettez-lui de fouiller, traîner, lancer, escalader. Il aura un plaisir fou à explorer tout ce monde d'objets variés et pleins de possibilités. *

Permettez-lui, aussi, de jouer dans le bain et jouez vous-aussi dans l'eau avec lui; procurez-lui des jouets qui flottent et des récipients de toutes sortes.

A la maison, comme lorsque vous irez en visite avec le petit ''touche-à-tout'', tâchez autant que possible de vous tenir assez près de lui pour le protéger plutôt que d'essayer de le surveiller de loin en criant, en menaçant et en multipliant les mises-en-garde.

Pendant la belle saison, donnez-lui l'occasion de jouer dans le sable, de se balancer, de prendre des glissades et de faire des roulades sur le sable ou sur le gazon.

Au fur et à mesure qu'il grandit, procurez-lui des jouets adaptés à son âge et à ses intérêts. Rappelez-vous, cependant, que les enfants passent la plus grande partie de leur temps à manipuler des objets familiers qui ne coûtent presque rien: cordes, papier de toutes couleurs, ciseaux, boîtes en carton, plastic ou métal, assiettes, tasses, chaudrons, ustensiles de cuisine, sable, terre, eau, chaises, bouts de planches, clous, outils et vêtements appartenant à leurs parents.

* **Quand vous serez à bout de patience ou que vous voudrez travailler quelques temps en toute quiétude, vous pourrez mettre votre enfant dans un parc avec quelques jouets attrayants. C'est l'abus du parc qui est condamnable et non son utilisation judicieuse.**

SAVOIR DIMINUER GRADUELLEMENT LA SURVEILLANCE AU FUR ET À MESURE QUE L'ENFANT SAIT RECONNAÎTRE ET ÉVITER LES DANGERS

Lorsque l'enfant a grandi et sait éviter les dangers, certains parents anxieux continuent de suivre l'enfant partout où il va, dans tout ce qu'il fait, à tous les instants, en multipliant les commentaires, les suggestions et les mises-en-garde.

Cette attitude risque de rendre l'enfant anxieux, peureux et dépendant, ou encore de le conduire à la passivité et à l'opposition. L'enfant deviendra alors incapable d'initiatives et incapable de faire quoi que ce soit sans la présence et le regard d'un adulte.

LA PEUR SUPPRIME LES ACTIVITÉS EXPLORATRICES

L'enfant naît "explorateur". Sa curiosité naturelle est insatiable. C'est cette curiosité naturelle qui donne à l'enfant une soif d'apprendre et, cela, toute sa vie durant. C'est elle qui sera le moteur de sa créativité et de l'exercice de ses habiletés les plus complexes et les plus variées.

Mais voilà! Tout ce beau devenir peut être compromis par les mesures punitives et la peur qu'elles engendrent. En effet, les activités exploratrices de l'enfant produisent inévitablement des dégâts, du bruit, des traîneries, des meubles égratignés, des appareils électriques brisés, des plantes effeuillées, des nuisances et des ennuis de toutes sortes pour les parents. De plus, des voisins, des personnes de la parenté ou des connaissances peuvent désapprouver les parents qui laissent ainsi leurs enfants "explorer"; ils peuvent dire que la maison est en désordre et blâmer les parents de "laisser tout faire aux enfants".

Pour éviter le blâme et les ennuis, un grand nombre de parents prennent l'habitude de crier aux enfants "Fais pas ça!", "Arrête ça!", "Touche pas!", "Replace ça!", "Laisse ça là!" ou "Qu'est-ce que t'as fait là?"; ils menacent, ils grondent, ils injurient, ils frappent et punissent sévèrement. L'enfant a peur et il cesse subitement ou graduellement de s'intéresser aux objets de son environnement.

Ensuite, l'enfant s'intéressera davantage aux réactions de ses parents qu'aux objets de son environnement. Il cessera de bouger, de jouer et d'apprendre; s'il explore encore parfois, il n'osera plus le faire qu'avec crainte, précaution et retenue. Sa joie de vivre et sa créativité se seront éteints en même temps que ses activités exploratrices.

UNE HABITATION N'EST PAS UN MUSÉE NI UN SANCTUAIRE

L'endroit où habite l'enfant ne peut être un "musée" rempli d'objets précieux auxquels les parents interdisent de toucher.

Ce n'est pas non plus un jardin botanique où les plantes sont soigneusement gardées sous surveillance.

La cuisine n'est pas un "sanctuaire de bonnes-femmes"; la vaisselle et les récipients ne sont pas des vases sacrés.

Le plancher n'est pas conçu pour accueillir des expositions de tapis ou de moquettes sur lesquels il est interdit de marcher.

Les meubles ne sont pas exposés de façon à ce que les visiteurs se pâment devant leur style particulier.

UNE HABITATION, C'EST UN LIEU POUR VIVRE PLEINEMENT

L'enfant a la permission d'y faire la plupart des choses qu'il désire,* sauf s'il y a grand danger de se blesser, de briser des objets très dispendieux ou de faire des dégâts trop coûteux ou fort embêtants.

Il peut saisir, tirer, pousser, courir, sauter, se rouler et faire des culbutes. Il peut étaler ses jouets et jouer sur le plancher. Il peut crier et faire du bruit. Il est autorisé à fouiller dans l'armoire aux casseroles. Dès qu'il a envie de cuisiner, il est autorisé à le faire. Au lieu de le désapprouver lorsqu'il veut utiliser les appareils électro-ménagers, ses parents l'encouragent à le faire et lui enseignent à s'en servir.

Bref, l'enfant est autorisé et encouragé à explorer son environnement, à jouer, à créer et à imiter ses parents dans leurs activités quotidiennes.

---

* Nous ne disons pas que les parents doivent *tout* laisser faire à leur enfant, ni que celui-ci doive être autorisé à conduire ses parents et les autres membres de la famille. L'enfant à qui l'on donne un tel pouvoir sur les autres devient rapidement "un enfant gâté" (c'est-à-dire un enfant qui fait céder ses parents à tous ses caprices) et un petit tyran pour toute la famille.

FOURNIR DU MATÉRIEL APPROPRIÉ AUX ACTIVITÉS EXPLORATRICES

Nous avons déjà décrit dans les pages qui précèdent le matériel à mettre à portée du bébé pendant les premiers mois de sa vie.

Dès qu'il pourra se traîner à quatre pattes, il sera en mesure d'explorer la maison et d'aller chercher des objets qui l'intéressent. La plupart du temps, il choisira des objets d'utilité quotidienne, tels que cuillères, chaudrons, boîtes et récipients, accessoires ménagers, etc. Les parents avisés feront en sorte de mettre à sa portée une grande quantité d'objets variés.

En plus de cette multitude d'objets qui sont déjà dans la maison, les parents pourront acheter ou confectionner quelques jouets tels: chariot à traîner, jouets à tirer, voiturette pour chevaucher et faire avancer avec les pieds, cubes en bois ou en plastic, ballons gonflés, petites balles, grande boîte en carton solide, animaux et poupées en peluche, en chiffon, en caoutchouc ou en plastic.

A l'âge pré-scolaire (de trois à cinq ans), il est suggéré de lui fournir un tableau et des craies, des crayons à colorier, du papier, du carton, des livres d'images, des catalogues, de vieux magazines, de la pâte à modeler, de la peinture digitale, des ciseaux, des cordes, des adhésifs, des puzzles, des jeux de construction, un marteau, une scie, des planches et des clous.

Au fur et à mesure qu'il grandira, l'enfant sera en mesure de vous faire de nombreuses demandes de jouets. Vous serez souvent embarrassé et perplexe, ne sachant si vous devez lui acheter ceci ou cela. Avant de prendre une décision, demandez-vous toujours dans quelle mesure le matériel que vous voulez acheter favorise les activités exploratrices, l'apprentissage et la créativité.

POUR TOUT CE QUE L'ENFANT PEUT ACCOMPLIR, LAISSEZ-LE AGIR PAR LUI-MÊME SANS ACCÉLÉRER SON ALLURE, SANS LE PRESSER.

Acceptez ses hésitations, ses indécisions, ses maladresses, voire ses imperfections dans ses essais et ses réalisations.

Quelques exemples de choses que vous pouvez lui permettre:
— Balbutier des mots*
— Manger seul à la cuillère
— Tenir lui-même son verre pour boire
— Marcher à vos côtés à son rythme (évitez de le tirer par la main pour le faire marcher à toute vitesse)
— Se laver les mains
— Verser lui-même ses breuvages (même s'il fait parfois des gâchis)
— Enlever ses vêtements; se vêtir
— Aider aux travaux d'entretien ménager
— Se préparer lui-même de la nourriture
— Faire une construction

Bien sûr, l'enfant fera des dégâts et des gâchis. Son travail ne sera pas "bien fait". Vous verrez ses gaucheries et ses essais infructueux. Vous serez tentés de lui faire répéter les mots qu'il a bredouillés ou mal articulés, de faire les choses à sa place, de lui faire presser le pas, d'accélérer. Vous serez tentés d'intervenir et de conseiller. Montrez plutôt que vous lui faites confiance en le laissant se débrouiller tout seul.

* **Hâter un enfant à répéter des mots pour corriger ses hésitations ou ses défauts de prononciation, peut causer le bégaiement.**

LE PLUS TÔT POSSIBLE, DONNEZ À VOTRE ENFANT LA CHANCE DE CÔTOYER D'AUTRES ENFANTS

Bien avant que votre enfant ne soit capable de jouer avec les autres, il faut lui fournir l'occasion de côtoyer d'autres enfants de son âge ainsi que des enfants plus âgés. Avant l'âge de trois ans environ, les parents ne peuvent s'attendre à ce que leur enfant joue avec d'autres enfants et partage ses jouets avec eux.

Toutefois, si vous attendez à cet âge avant de le mettre en contact avec d'autres enfants, vous pouvez avoir la surprise de constater que votre enfant s'éloigne des autres en manifestant de la peur ou encore qu'il ait constamment des gestes agressifs à leur endroit.

Evidemment, il est normal que, de temps en temps, un enfant soit agressif envers ses compagnons et compagnes de jeux. L'apprentissage de la collaboration avec les autres ne peut se faire en un clin d'oeil ni sans quelques heurts. C'est pourquoi, il est nécessaire de lui donner l'occasion de côtoyer d'autres enfants le plus tôt possible (surtout, à partir de son premier anniversaire).

A l'âge de trois ou quatre ans, il faudra aussi penser de lui faire fréquenter une pré-maternelle, à moins de pouvoir lui fournir ailleurs de fréquentes occasions de jouer avec des enfants de son âge et des occasions d'apprendre à se séparer de ses parents pour quelques heures.

1- PERMETTRE À L'ENFANT LES ACTIVITÉS EXPLORATRICES
2- LUI LAISSER LE PLAISIR DE DÉCOUVRIR ET D'EXPÉRIMENTER PAR LUI-MÊME
3- LE CONSEILLER QUAND IL VOUS LE DEMANDE OU VOUS Y AUTORISE
4- L'ENCOURAGER DE TEMPS EN TEMPS

Telles sont les quatre règles principales susceptibles de vous guider dans vos comportements à l'égard des activités exploratrices de votre enfant.

Permettre à votre enfant d'explorer est une règle qui peut sembler facile et passive, mais vous verrez comment il vous en coûtera d'efforts pour demeurer ainsi passifs lorsque vous aurez le goût d'intervenir et de dire "Non!" ou "Fais pas ça!".

C'est la même chose avec la deuxième et la troisième règle. Vous verrez comme il est difficile de laisser votre enfant expérimenter par lui-même; vous aurez envie de prodiguer vos conseils et vos solutions.

Quant à la quatrième règle, c'est la plus facile et la plus naturelle. Le parent qui observe son enfant en train de découvrir le monde est un parent comblé et émerveillé. Ce parent manifestera tout naturellement son plaisir dans des interactions positives avec son enfant. Il encouragera celui-ci par ses regards, ses sourires et ses paroles approbatrices.

L'enfant qui, lors de ses premières années d'exploration, n'a pas été appeuré par les tapes, les punitions, les cris menaçants, les désapprobations, les critiques ou les humiliations, continuera d'explorer en grandissant. Il manifestera de plus en plus sa curiosité, sa capacité d'émerveillement, sa créativité, son indépendance et sa débrouillardise.

Les parents devront continuer d'être très permissif à l'égard des activités exploratrices de leur enfant qui grandit et de leur adolescent ou adolescente, sauf si ces activités présentent des dangers très graves pour la santé de leur fils ou de leur fille.

Ils choisiront avec grand soin les gardiennes, les écoles, les camps de vacances et les autres institutions que fréquentent leurs enfants; ils exerceront ensuite une surveillance appropriée sur ces personnes et ces institutions de manière à ce que leurs enfants échappent aux méthodes d'éducation punitive. Ce sont, en effet, ces méthodes qui effraient l'enfant, le rendent timide et éteignent sa curiosité, sa débrouillardise et sa créativité.

Chapitre II

Exprimer son affection

CHEZ LE BÉBÉ, LES SOINS QUE DONNENT LES PARENTS SE CONFONDENT GÉNÉRALEMENT AVEC LES MANIFESTATIONS D'AFFECTION

La plupart des parents n'éprouvent ni gène ni inconfort à toucher leur bébé partout sur son corps à l'occasion du boire, du bain, du changement de couches et des vêtements. Ils le prennent dans leurs bras, le cajolent, le bercent, lui font des chatouillements et des caresses, le saisissent à pleines mains pour jouer avec lui, le couvrent de baisers et lui disent ouvertement leur affection.

Bébé est heureux. Il mange quand il a faim; il boit quand il a soif (et non selon des horaires strictes). Ses parents surveillent pour lui la température de l'air ambiant pour lui éviter qu'il ait trop froid ou trop chaud. Ils changent sa couche quand celle-ci est souillée. Ils le bercent généreusement et ils jouent avec lui. Ils le soignent et le consolent quand il souffre. Bébé expérimente ainsi le bien-être, le confort, le réconfort, l'affection, la satisfaction et le plaisir.

PÈRE OU POURVOYEUR

Le père qui désire être pour son enfant autre chose que celui qui apporte un salaire devra commencer à s'occuper de son enfant dès la naissance.

C'est à travers les soins physiques et les tout premiers contacts avec son enfant que s'établiront les liens profonds qui se renforceront toute la vie durant.

Le père qui attend que son enfant court et parle avant de s'en occuper risque fort de manquer le bateau. Bien sûr, pourra-t-il encore être admiré par son enfant, mais l'admiration ne vaut pas les liens affectifs établis dans la plus tendre enfance.

De plus, en participant activement au soin et à l'éducation de son enfant, le père peut parfois empêcher que s'élabore, entre la mère et l'enfant, une relation affective trop exclusive, trop étroite, surprotectrice ou fusionnelle.*

* **Le père doit s'attendre à ce que ses interventions suscitent des conflits (ex: lorsqu'il s'oppose à ce que la mère et l'enfant dorment dans le même lit sous prétexte que l'enfant a peur ou est malade).**

LES PAROLES ET LES GESTES AFFECTUEUX SONT NÉCESSAIRES À L'ENFANT QUI GRANDIT

Malheureusement, à cause d'une éducation très puritaine, un grand nombre de parents confondent encore la séduction sexuelle avec les manifestations physiques et verbales de l'affection. C'est pourquoi, lorsque l'enfant grandit, ils cessent graduellement de le toucher, de l'entourer de leurs bras, de lui donner des baisers et de lui dire qu'ils l'aiment.

Et pourtant, l'être humain a besoin d'affection toute sa vie. Les parents devraient continuer de manifester leur affection à leurs enfants par des paroles franches et des gestes physiques.

Les occasions comme les départs le matin pour l'école ou pour le travail, les retours le soir après l'école ou le travail, les anniversaires, les départs et les retours de voyage, toutes ces occasions devraient donner lieu à l'expression verbale de l'affection et à des manifestations physiques d'affection entre les membres de la famille.

Ces gestes et ces paroles d'affection comptent parmi les ingrédients indispensables au bonheur de ceux qui les reçoivent comme de ceux qui les donnent.

LA FAMILLE B. DÉCIDE DE CHANGER SES HABITUDES PURITAINES

La famille B., tout comme les autres familles de leur quartier, était une famille où les membres n'exprimaient pas verbalement ni physiquement leur affection les uns pour les autres.

Après avoir réalisé que tous les membres étaient en train de sécher sur le plan affectif, les parents ont abordé franchement ce sujet avec leurs enfants. Après discussion, tous se sont mis d'accord pour changer leurs habitudes puritaines.

Ils ont décidé que chaque fois qu'un membre de la famille quitterait le foyer pour plus de trois heures, tous les autres membres devraient lui donner l'accolade ou un bec sur la joue. A cette occasion, les personnes concernées exprimeraient verbalement leur attachement réciproque.

Exemples:
"Bonne journée, je t'aime bien!" — *"Salut! Bonne journée!"*
"Passe une bonne journée!" — *"Toi aussi!"*
"Fais attention à toi! Je t'attends pour dîner!" — *"Bonjour M'an!"*
"Prends bien soin de toi!" — *"Toi aussi Pa!"*
"A ce soir! Je t'aime bien!" — *"Moi aussi!"*

De même, lorsqu'un des membres de la famille réintègre le foyer après une absence de trois heures ou plus, tous les autres membres de la famille vont l'accueillir à la porte en lui donnant l'accolade ou un bec sur la joue. A cette occasion, les personnes concernées expriment verbalement leurs sentiments d'attachement réciproque.

Exemples:

"Je suis content de te revoir!" — *"Moi aussi!"*
"Salut Fiston! T'as l'air en forme!" — *"Ah oui!"*
"Ca va petite vermine?" — *Bien... Et toi, M'an?"*
"Comment ça été aujourd'hui?" — *"Très bien!... Et toi frèrot?"*
"Bonjour Pa! J'avais hâte de te revoir!" — *"Moi aussi je suis content de te voir!"*

En plus de ce rituel pour les départs et les retours, les membres de la famille ont résolu d'étendre ce climat affectueux à toute leur vie familiale quotidienne, en exprimant plus souvent leur affection mutuelle à l'occasion des routines et des petits événements de tous les jours.

Chapitre III

— **Comment nous apprenons aux enfants
de bons ou de mauvais comportements** —

ON ATTIRE LES MOUCHES AVEC DU MIEL, NON AVEC DU VINAIGRE

Nous obtiendrons que les enfants aient de bons comportements avec le miel de notre approbation et de notre contentement, non avec le vinaigre de nos critiques et de nos punitions.

PLUSIEURS ENFANTS SE COMPORTENT MAL PARCE QU'ILS SE SONT APERÇUS QUE C'EST LA FAÇON LA PLUS EFFICACE D'OBTENIR L'ATTENTION DES PARENTS.

Nous apprenons aux enfants à bien se comporter quand nous soulignons leurs bons comportements.

Plus nous nous occupons des bons comportements d'un enfant, mieux il se comporte.

Plus nous nous occupons des mauvais comportements, plus leur nombre augmente. Si nous sommes obligés de punir souvent, c'est que nous ne montrons pas assez notre contentement pour les bons comportements.

Nous apprenons aux enfants à mal se comporter quand nous critiquons et punissons leurs mauvais comportements et que nous ignorons leurs bons comportements.

LES PUNITIONS ET LES RÉPRIMANDES PEUVENT ENCOURAGER UN ENFANT À MAL SE COMPORTER

Pour l'enfant, l'attention de ses parents est un élément **vital.** S'il ne peut obtenir cette attention avec ses bons comportements, il s'apercevra bien vite que ses comportements indésirables possèdent ce pouvoir ''magique'' d'attirer sur lui l'attention de ses parents.

Ceux-ci auront beau taper, punir et chicaner, l'enfant continuera de mal faire pour obtenir cette attention. Apparemment, les tapes, les punitions et les réprimandes des parents sont moins douloureuses pour l'enfant que la privation d'attention dont il souffre quand il se comporte bien et que ses parents l'ignorent.

MIEUX VAUT SOULIGNER LES COMPORTEMENTS DÉSIRABLES QUE DE PUNIR LES COMPORTEMENTS INDÉSIRABLES

Il faut apprendre à se servir des moments où l'enfant se comporte bien (même si ces moments sont peu nombreux et/ou très courts) pour souligner ses bons comportements.

Exemples
Si nous voulons corriger la trop grande turbulance d'un enfant, nous devons nous servir des brefs moments où il se tient tranquille pour lui dire notre contentement.

De même, si nous voulons corriger l'habitude de mentir chez un enfant, nous devons nous mettre à l'affût des rares occasions où il dit la vérité pour le féliciter et l'encourager.

LES PARENTS PEUVENT APPRENDRE À S'OCCUPER DES BONS COMPORTEMENTS DES ENFANTS

Cesser de critiquer est difficile.

Apprendre à s'occuper des bons comportements des enfants est aussi très difficile.

Il est cependant possible, avec beaucoup d'efforts, de ténacité et de pratique, d'apprendre à s'occuper des bons comportements des enfants et à cesser de critiquer.

Pour apprendre à donner de l'attention aux enfants et des approbations pour leurs bons comportements, on peut se servir d'aides-mémoire et se fixer une heure de pratique tous les jours pendant plusieurs semaines, jusqu'à ce que l'habitude soit suffisamment acquise pour durer.

Pour évaluer ses progrès et ses reculs, il faut prendre la peine de compter ses approbations pendant l'heure de pratique et faire des comparaisons entre les différents jours.

Pour faire le calcul de ses erreurs, il suffit de compter le nombre de ses critiques.

UNE HEURE DE PRATIQUE PAR JOUR

	APPROBATIONS (Remerciements, félicitations, encouragements)		DÉSAPPROBATIONS (Critiques)	
	MÈRE	PÈRE	MÈRE	PÈRE
DIMANCHE				
LUNDI				
MARDI				
MERCREDI				
JEUDI				
VENDREDI				
SAMEDI				
TOTAUX				

Note: Après chaque heure de pratique, les parents inscrivent le nombre d'approbations et de désapprobations qu'ils ont faites.

Ne mélangeons pas le miel et le vinaigre.

Ne mélangeons pas les approbations et les louanges avec les critiques.

Ne pas dire:
- *"Je suis content de te voir jouer amicalement avec ton frère, **mais c'est si rare.**"*
- *"Tu as un beau bulletin, **mais t'aurais pu faire beaucoup mieux.**"*
- *"Merci pour avoir mis la table, **mais tu as oublié de mettre le sel et le poivre.**"*

Si nous voulons des progrès, soulignons uniquement les côtés positifs.

Première règle:

Ne jamais dire le mot "mais" après avoir fait une approbation, un encouragement ou une félicitation. Ce mot fait tourner au vinaigre ou à la critique même les suggestions les plus bienveillantes.

Exemples à éviter:

"Je te remercie pour avoir lavé la voiture, mais tu ne l'as pas essuyée et elle est toute bariolée".

"Je vois que tu as fait le ménage dans ta chambre, mais t'as oublié d'épousseter."

Deuxième règle:

Séparer les approbations d'avec les suggestions. D'abord formuler l'approbation en disant en détail le pourquoi de cette approbation. Il s'agit alors de dire à l'enfant notre satisfaction pour l'effort qu'il a fait ou pour la partie de la difficulté ou du travail qu'il a réussie ou accomplie. Ensuite seulement, nous pouvons nous permettre de lui faire une suggestion positive, en séparant l'approbation en question d'avec notre suggestion par le mot "maintenant".

Exemples

"C'est gentil d'avoir pensé à laver mon auto. Elle était vraiment sale. Tu as fait un gros travail. Maintenant, il ne reste plus qu'à l'essuyer pour la faire briller. Viens, je vais te montrer comment faire. Nous allons le faire ensemble."

"Ca fait du bien, n'est-ce pas de faire du ménage dans ta chambre. Tout est en ordre. Une dure corvée, n'est-ce pas!... Maintenant, il ne reste plus qu'à épousseter tes meubles. Est-ce que tu veux que je te donne un coup de main?"

"Je suis contente de vous voir jouer amicalement tous les deux. C'est beau de vous voir!... Maintenant, voyons si vous êtes capables de continuer ainsi de jouer ensemble, sans vous chicaner, pendant les dix prochaines minutes!"

"Merci d'avoir mis la table. Ca m'a rendu un grand service... Maintenant, est-ce que tu pourrais m'apporter le sel et le poivre."

IL VAUT MIEUX, TRÈS SOUVENT, IGNORER LES MAUVAIS COMPORTEMENTS* ET MONTRER NOTRE APPROBATION POUR LES BONS COMPORTEMENTS

Ignorer les mauvais comportements (dont on s'occupe habituellement) fait augmenter, pour une brève période, le nombre de ces mauvais comportements, mais, à la longue, ce nombre diminue.

Ainsi, si vous décidez d'ignorer Jean, au lieu d'intervenir, quand il taquine sa soeur; et si vous ignorez aussi les cris de Judith qui vous appelle à son secours, vous allez observer d'abord que Jean va agacer sa soeur davantage et que celle-ci va crier davantage pour obtenir votre aide; mais si vous tenez bon et continuez d'ignorer ces comportements indésirables pendant quelques jours, vous observerez alors une diminution importante des cris de Judith et des agaceries de Jean.

En même temps, il ne faudra pas manquer de les approuver chaleureusement chaque fois que vous les verrez jouer amicalement ensemble (même pour quelques minutes).

---

* Il s'agit ici d'ignorer les petits comportements indésirables qui ne présentent aucun danger grave pour l'enfant lui-même et pour autrui. Evidemment, les parents ne peuvent ignorer un enfant qui, par exemple, fait un vol ou risque de blesser autrui.

POUR FAIRE DIMINUER LES COMPORTEMENTS INDÉSIRABLES, IL FAUT TROUVER LES MOYENS DE FAIRE AUGMENTER LES COMPORTEMENTS DÉSIRABLES

Pour faire diminuer la désobéissance, il faut encourager l'obéissance.

Pour faire diminuer les impolitesses, on encourage l'enfant à être poli.

Pour faire cesser les chicanes et les coups entre frères et soeurs, on encourage la bonne entente et la collaboration entre eux.

Encourager l'enfant à collaborer aux tâches ménagères met en échec le désordre et la malpropreté.

Encourager l'enfant à faire ses travaux scolaires de façon indépendante met fin aux chicanes et aux accaparements à l'heure des devoirs et des leçons.

Encourager l'enfant aux activités de loisir et de travail met en échec l'oisiveté et bien d'autres comportements indésirables.

Amener un enfant dehors pour faire de la marche, du ski de randonnée ou de la raquette, pour jouer à la balle ou au ballon, ou encore l'amener dans un centre de loisirs et l'encourager à faire des sports peut mettre fin à sa surconsommation de télévision, ou à sa tristesse, ou à son ennui, ou à ses comportements d'enfant timide.

LES INSTRUCTIONS VERBALES NE PEUVENT À *ELLES SEULES* NI CORRIGER DES MAUVAIS COMPORTEMENTS, NI FAIRE ACQUÉRIR UNE BONNE HABITUDE, NI FAIRE DURER UNE BONNE HABITUDE

Certains parents croient qu'il suffit de dire à l'enfant quoi faire, de lui donner des explications sur le permis et le défendu, de lui faire des suggestions et de lui donner des conseils pour que celui-ci cesse de mal se comporter ou encore continue de bien se comporter.

L'observation scientifique des faits nous a montré, au contraire, que les instructions verbales, les suggestions, l'énoncé de règles de conduite et les explications sur le bien et le mal sont insuffisantes, à elles seules, pour changer des comportements indésirables ou pour faire durer une bonne habitude.

Quand les bons comportements qui suivent les instructions des parents ne sont pas assez souvent suivis par des conséquences positives (attention des parents, paroles, regards, approbations, félicitations, remerciements ou encouragements de toutes sortes), eh bien, ces bons comportements cessent tout simplement de se produire.

TOUT COMPORTEMENT EST CONTRÔLÉ PAR SES CONSÉQUENCES

Si un comportement est suivi de conséquences positives (ex.: attention, paroles bienveillantes, encouragements verbaux, gestes affectueux, encouragement matériel, activité agréable, succès), ce comportement va continuer de se produire et va aller en augmentant.

Un comportement qui n'est suivi d'aucune conséquence positive va d'abord se produire de moins en moins souvent et va ensuite cesser complètement de se produire.

Un parent souhaite-t-il, par exemple, que son enfant prenne rapidement la bonne habitude d'aider dans la maison? Alors, il s'organise pendant plusieurs jours pour d'abord demander à son enfant des choses qu'il sait que l'enfant aimera faire.

Chaque fois que l'enfant aide, il l'encourage *immédiatement* en le remerciant chaleureusement ou en exprimant son contentement pour le travail accompli.

Bien vite, ce parent s'apercevra que son enfant prendra des initiatives pour aider, même en faisant des tâches qu'il trouvait désagréables auparavant.

COMMENT FAIRE DURER UNE BONNE HABITUDE?

Quand l'enfant a acquis une bonne habitude, par exemple, l'habitude d'aider dans la maison, il suffit de continuer de l'encourager de temps en temps pour que dure cette bonne habitude.

Si les encouragements cessent complètement ou s'ils ne sont pas assez fréquents, cette bonne habitude va s'en aller et disparaître.

Un comportement cesse de se produire quand il n'est plus suivi de conséquences positives.

CERTAINES BONNES HABITUDES SONT MAINTENUES PAR LEURS CONSÉQUENCES POSITIVES NATURELLES

Certaines activités sont par elles-mêmes très récompensantes. Il suffit que l'enfant s'adonne à ces activités pour que celles-ci lui rapportent des succès, des progrès, du plaisir ou, encore, de l'attention positive de la part des autres enfants.

Un parent devra, par exemple, faire des plans astucieux et fournir des efforts considérables pour amener son enfant à s'adonner à des sports collectifs. Mais, une fois que celui-ci aura appris les premiers rudiments de ces sports, il pourra passer des heures à s'entraîner et à jouer avec les autres enfants sans avoir besoin des encouragements de ses parents.

De fait, l'enfant retirera de ses activités un tas de récompenses naturelles, comme le plaisir de bouger et d'être en activité physique, des progrès personnels, des succès d'équipe, des succès individuels, de même que des attentions et des encouragements de ses co-équipiers.

CERTAINES BONNES HABITUDES NE PEUVENT DURER SI LES PARENTS OUBLIENT DE FAIRE SUIVRE, DE TEMPS EN TEMPS, PAR DES ENCOURAGEMENTS LES COMPORTEMENTS DÉSIRABLES DE LEURS ENFANTS

Les enfants ne sont pas tous pareils. Certains d'entr'eux, par exemple, tiennent absolument à ce que les choses soient propres et ordonnées. Pour ceux-là, l'ordre et la propreté des lieux seront des conséquences suffisamment positives pour leur faire garder la bonne habitude de ranger leurs vêtements, leurs jouets, leurs livres et les autres objets dont ils se servent dans la maison. D'autres enfants, par contre, auront besoin d'être encouragés de temps en temps par leurs parents pour conserver la bonne habitude de l'ordre et de la propreté.

Il en est ainsi pour toutes les autres bonnes habitudes, comme l'obéissance, la franchise, le respect de la propriété d'autrui, la serviabilité, la politesse et l'application au travail scolaire.

Supposons que Jean s'amuse très souvent avec sa piste de course pour petites autos. Ses parents peuvent alors conclure que cette activité est très intéressante pour lui.

Ils peuvent ensuite utiliser cette activité pour aider Jean à accomplir d'autres activités qui sont moins intéressantes pour lui.

Exemples:

"Tu fais d'abord tes devoirs et, ensuite, tu pourras jouer avec ta piste de course."
"Tu m'aides d'abord à faire la vaisselle et, ensuite, nous jouerons tous les deux avec ta piste de course."

Chapitre IV

Encouragements verbaux et encouragements matériels

ÉVITONS DE DIRE DES FLATTERIES À NOS ENFANTS PARCE QUE LA FLATTERIE COMPORTE UNE PARCELLE DE MENSONGE ET DE MALHONNÊTETÉ. NOS ENFANTS ONT ALORS LE SENTIMENT QUE NOUS VOULONS ACHETER LEURS BONS COMPORTEMENTS FUTURS AVEC DES COMPLIMENTS MENSONGERS.

- *"Tu es un bon garçon."*
- *"Tu es une beauté."*
- *"Tu es un grand peintre."*
- *"Tu es un génie."*
- *"Tu es un fils formidable."*
- *"Tu es un gardien de but extraordinaire."*
- *"Tu es un grand musicien."*
- *"Tu es une excellente cuisinière."*

- *"Tu es une vraie perle."*
- *"Tu es un enfant magnifique."*
- *"Tu es un brillant garçon."*
- *"Tu es un gars bien généreux."*
- *"Tu es un gentil garçon."*
- *"Tu es un vrai menuisier."*
- *"Tu es un as de l'écriture."*
- *"Tu as un goût fantastique."*

Pour être valable, toute félicitation, remerciement ou appréciation doit être **sincère** et, en plus, bien **méritée** par celui à qui elle est destinée.

LES COMPLIMENTS OU APPRÉCIATIONS* DOIVENT PORTER SUR LE TRAVAIL OU LES ACCOMPLISSEMENTS DE L'ENFANT

— *"Merci d'avoir lavé l'auto."*

— *"Je suis contente que tu aies fait ton lit."*

— *"Je te remercie d'avoir fait la vaisselle, ça m'a rendu service."*

— *"Comme c'est propre ici, je vois que tu as fait le ménage."*

— *"Tu as fait des progrès en calcul et en dictée: je te félicite."*

— *"Bravo! Ca ne t'a pas pris de temps à te préparer ce matin."*

— *"Tu as bien joué (du piano) ce soir, c'était très agréable de t'entendre."*

— *"Tes biscuits sont bien bons."*

— *"Ton jello est réussi."*

— *"Je te remercie d'avoir pensé à moi; c'est une bonne idée que tu as eu là."*

— *"Il me plaît ton poème."*

— *"C'est joli ce que tu as écrit."*

* C'est à travers ces appréciations que l'enfant découvre le sentiment de sa valeur personnelle. Il apprend à être satisfait de lui-même et de ce qu'il fait. Sa satisfaction personnelle devient un encouragement et, partant, une source importante de motivation à bien faire.

AUTRES FAÇONS DE MONTRER NOTRE APPRÉCIATION

Notre sourire et le contentement que l'enfant voit sur notre visage.
Une tape sur l'épaule.
S'asseoir près de son enfant et parler avec lui.
S'intéresser à ses jeux.
Le serrer contre soi, le prendre dans ses bras ou sur ses genoux.
Amener un enfant seul avec soi pour faire une course, un sport, ou un travail, pour lui acheter une crème glacée, etc...
Lui faire préparer le dessert.
Lui faire choisir le menu qu'il préfère pour le prochain repas.
Souligner ses bons comportements devant toute la famille.
Lui fournir l'occasion de faire une tâche qu'il aime.

LES FÉLICITATIONS ET LES REMERCIEMENTS QUI SONT SINCÈRES ENCOURAGENT L'ENFANT À MIEUX SE COMPORTER ET À PRENDRE DES INITIATIVES

Quand nous faisons une approbation ou que nous exprimons notre contentement pour un bon comportement, n'oublions pas de dire pourquoi et de le dire en détail.

Exemples:
— *"Ca fait cinq minutes que tu t'amuses avec ton frère. Ca me fait vraiment plaisir de vous voir vous amuser comme ça, sans vous chicaner."*

— *"Merci d'avoir mis les assiettes et les ustensiles, ça m'a épargné de le faire."*

LES ENCOURAGEMENTS MATÉRIELS PEUVENT AIDER UN ENFANT À BIEN SE COMPORTER

Les encouragements matériels, comme l'argent, les biscuits, les friandises*, les jouets et les livres, peuvent, dans certaines circonstances, être d'un grand secours pour aider un enfant à bien se comporter.

Parfois, lorsqu'un enfant retire trop de plaisir de ses comportements indésirables, ou encore lorsque les bons comportements à acquérir lui coûtent trop d'efforts, les encouragements verbaux de ses parents ne suffisent pas pour l'aider à bien se comporter. Les parents peuvent alors recourir aux encouragements matériels.

Les parents verront, cependant, à **toujours** accompagner de leurs approbations les encouragements matériels qu'ils donnent à leur enfant.

* C'est seulement à titre d'exemple que nous mentionnons ici les friandises. Nous comprenons très bien pourquoi certains parents interdisent les friandises à leurs enfants. Par contre, nous comprenons aussi pourquoi la plupart des parents en permettent la consommation.

LES ENCOURAGEMENTS MATÉRIELS ET LES PRIVILÈGES DOIVENT ÊTRE CHOISIS EN FONCTION DE CHAQUE ENFANT

Bien souvent, nous pouvons laisser l'enfant choisir lui-même le privilège ou l'objet qu'il désire gagner. C'est lui qui, en effet, sait le mieux ce pourquoi il est prêt à travailler et à faire des efforts.

Un enfant peut consentir à travailler d'arrache-pied pour gagner des bonbons, un fruit ou de la crème glacée. Un autre va se surpasser pour le plaisir de pouvoir faire une ballade en auto avec son père. Un autre peut faire des efforts incroyables pour le plaisir d'accomplir ensuite une activité qu'il aime, comme par exemple aider sa mère dans une tâche ménagère. Un autre enfant choisira de gagner des sous et d'en disposer à sa guise. Pour un autre, la plus belle récompense sera de pouvoir gagner quelques minutes de plus par jour pour regarder la télévision.

Chaque enfant est unique sur ce plan. Chacun a ses préférences.

Si un encouragement matériel ou un privilège "ne marche pas" ou n'a pas d'effet, il y a bien des chances que cet "encouragement" ou ce "privilège" n'en soit pas un pour l'enfant à qui il est destiné.

NE PAS ABUSER DES ENCOURAGEMENTS MATÉRIELS*

L'abus des encouragements matériels indique clairement à l'enfant que ses parents sont incapables de lui donner de l'attention et des approbations pour ses bons comportements ainsi que l'affection dont il a besoin.

L'enfant éprouve alors le sentiment que ses parents veulent acheter sa bonne conduite avec des encouragements matériels, qu'ils veulent ainsi seulement "avoir la paix" et se débarrasser de lui.

Les encouragements matériels ne peuvent non plus compenser pour la faiblesse, la mollesse, l'inconstance ou le manque d'autorité parentale. Dans tous ces cas, ils ne font qu'empirer la situation en offrant à l'enfant un pouvoir additionnel de menace et de marchandage.

* Il faut considérer les encouragements matériels comme des *compléments* (souvent nécessaires) aux encouragements verbaux et gestuels des parents. L'attention des parents, leurs approbations, leurs paroles et leurs gestes affectueux demeurent les encouragements privilégiés.

FAIRE VARIER SES ENCOURAGEMENTS MATÉRIELS ET SES PRIVILÈGES

Un enfant peut se fatiguer de recevoir toujours le même type d'encouragement matériel ou de privilège.

Pour beaucoup d'enfants, c'est l'aspect "nouveauté" d'une chose qui la rend très désirable. Pour d'autres, c'est son caractère "imprévisible" qui en augmente la valeur. De là, le grand intérêt des enfants pour les "surprises" qu'on leur promet.

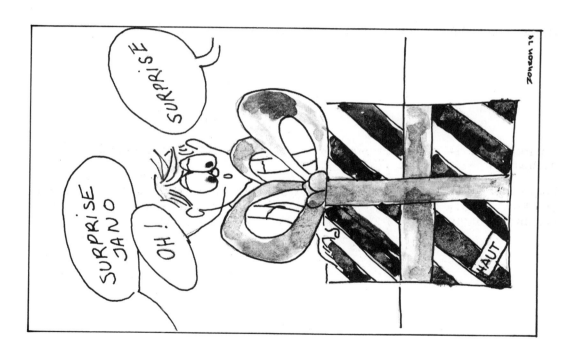

GAVER UN ENFANT D'OBJETS MATÉRIELS DIMINUE SA MOTIVATION

Très souvent, c'est la privation d'une chose qui rend cette chose plus désirable. Un enfant qui, par exemple, vient de manger dix morceaux de chocolat ou de sucre à la crème, peut ne pas être empressé de travailler pour gagner d'autre chocolat ou d'autre sucre à la crè- me. Par contre, le même enfant qui adore le chocolat, mais qui n'en a pas mangé depuis quelques jours, sera prêt à fournir des efforts considérables pour en obtenir même un tout petit morceau.

Les encouragements verbaux, ce sont les approbations, les remerciements, les félicitations, les regards et les autres attentions que se donnent les personnes entre elles.

Notre société a fixé des règles définissant les circonstances dans lesquelles une personne "bien éduquée" doit "sacrifier" toute forme d'encouragement matériel et se contenter d'encouragements verbaux. Par exemple, notre société veut qu'un enfant "bien élevé" en vienne à être capable de faire sa part de tâches familiales uniquement pour obtenir des encouragements verbaux, pour son confort et celui de sa famille. Nous disons alors d'un tel enfant qu'il a "le sens des responsabilités" ou qu'il a un bon "esprit familial".

C'est pourquoi, dans ce livre, nous suggérons souvent d'utiliser d'abord des encouragements matériels (accompagnés d'encouragements verbaux) pour aider un enfant **à apprendre** un comportement désirable; ensuite, une fois ce comportement appris, nous disons d'espacer peu à peu, de façon irrégulière et imprévisible, ces encouragements matériels jusqu'à ce que le comportement désiré puisse être maintenu uniquement par des encouragements verbaux.

LES ENCOURAGEMENTS MATÉRIELS SERONT TOUJOURS NÉCESSAIRES DANS LA VIE

Ni un enfant, ni un adulte ne peut agir tout le temps et en toutes circonstances que pour se mériter des encouragements verbaux, ou encore pour le seul plaisir d'être en activité.

Les encouragements matériels seront toujours nécessaires aux enfants comme aux adultes pour les motiver à faire des efforts et à accomplir certaines tâches qu'on appelle "travail".

Dans notre société, le salaire est la forme la plus courante d'encouragement matériel donné aux adultes pour les motiver à travailler.

POUR LA PLUPART DES ENFANTS, L'ATTENTION DES PARENTS, LEUR APPROBATION ET L'EXPRESSION DE LEUR CONTENTEMENT SONT LES PLUS BELLES RÉCOMPENSES

Il se trouve, cependant, quelques enfants qui sont peu sensibles aux compliments, aux approbations, aux encouragements verbaux et aux gestes d'affection.

La sensibilité aux gestes d'affection, aux encouragements et aux approbations des parents s'acquiert pendant les premiers mois de la vie, quand les parents donnent ces gestes d'affection, ces paroles tendres et ces encouragements **en même temps que** la nourriture et les soins physiques (i.e. à l'occasion des boires et des repas, des changements de couche, des bains, de l'habillage et des jeux avec le tout jeune enfant).

Or, il arrive que des parents, par manque de connaissances ou de savoir-faire, ou encore à cause de d'autres circonstances incontrôlables, négligent de dispenser en nombre suffisant ces paroles tendres, ces gestes d'affection et ces encouragements verbaux à leur tout-petit en même temps que la nourriture et les soins physiques. Il s'ensuit que ces enfants sont, plus tard, moins sensibles aux encouragements verbaux et aux gestes d'affection.

LES ENCOURAGEMENTS MATÉRIELS PEUVENT, DANS CERTAINES CONDITIONS, AIDER À RENDRE LES ENFANTS PLUS SENSIBLES AUX APPROBATIONS, AUX ENCOURAGEMENTS VERBAUX, AUX PAROLES TENDRES ET AUX GESTES AFFECTUEUX DE LEURS PARENTS

Tout n'est pas perdu. Même après la petite enfance, les parents peuvent augmenter la sensibilité de leur enfant aux approbations, aux encouragements, aux paroles et aux gestes affectueux en utilisant, de façon appropriée, des encouragements matériels, des privilèges ou de la nourriture.

Il s'agit alors pour les parents d'accompagner de leurs approbations et de leurs attentions affectueuses les encouragements matériels, les privilèges et les aliments qu'ils donnent à leur enfant.

LES POTS-DE-VIN APPRENNENT À L'ENFANT À MAL SE COMPORTER

Les pots-de-vin sont des récompenses données à l'enfant **immédiatement après** des comportements indésirables.

Les parents qui donnent des pots-de-vin à leur enfant veulent simplement acheter la ''paix'' avec leurs pourboires.

Les pots-de-vin encouragent l'enfant à mal faire.

Exemples de pots-de-vin:

— *Luc fait une crise pour obtenir des bonbons; sa mère cède et lui donne des bonbons pour avoir enfin la paix. (La mère récompense ainsi un comportement indésirable, à savoir la crise de l'enfant.)*

— *André, 2 ans, pique une colère contre sa mère et se met à la frapper à coups de pieds; celle-ci le prend alors dans ses bras et lui donne des baisers pour le calmer. (Les gestes d'affection récompensent l'enfant pour sa colère et ses coups de pieds.)*

— *Jean obtient de ses parents jouets, argent et friandises sur commande. Ses parents refusent parfois, mais l'enfant n'a qu'à insister davantage, à pleurnicher, à menacer ou à achaler ses parents pour obtenir tout ce qu'il désire.*

— *Sylvie est fâchée. Elle se met à crier. Son père lui dit: "Si tu arrêtes de crier, je vais t'amener faire une promenade en auto". (Ici, c'est par une promesse que le père récompense les cris de Sylvie.)*

— *Madame Tremblay demande à son fils René d'aller faire une commission. Celui-ci refuse, bougonne, puis prétexte que c'est injuste, que c'est toujours à son tour de faire les commissions. Alors, sa mère lui offre un pourboire pour qu'il accepte d'y aller.*

L'ABUS DES RÉCOMPENSES MATÉRIELLES ET DES PROMESSES FACILES INCITE L'ENFANT À FAIRE DU MARCHANDAGE

Les récompenses qui sont attribuées n'importe quand et n'importe comment, distribuées à droite et à gauche, à propos de tout et de rien, enseignent à l'enfant à mal se comporter et à faire du marchandage.

Il en est de même pour les promesses faciles et les promesses faites immédiatement après des comportements indésirables.

L'enfant se dit alors:
— *"Pas nécessaire de se forcer, ça paye quand même!"*
— *"Plus je suis tannant, plus on me fait de promesses et plus j'obtiens de récompenses!"*
— *"Vive le marchandage et les mauvais coups!"*

DANS LES ENDROITS PUBLICS, EN VISITE OU EN PRÉSENCE D'INVITÉS, LES PARENTS SONT DAVANTAGE PORTÉS À DONNER DES "POTS-DE-VIN" AUX ENFANTS

En public, en présence d'hôtes ou d'invités, les parents sont plus fragiles et plus vulnérables. Ils désirent éviter d'avoir des histoires avec les enfants (quémandage, pleurs, cris, disputes); ils souhaitent pouvoir se détendre en paix. Surtout, ils désirent bien paraître comme parents devant les autres.

Les enfants s'aperçoivent très vite de cette situation de faiblesse et ils en profitent pour demander des bonbons, des jouets, des permissions et des privilèges de toutes sortes.

Une règle pratique consiste à donner à l'enfant ce qu'il demande **la première fois** qu'il le demande, quand cette demande paraît raisonnable. Si les parents jugent cette demande déraisonnable, leur refus doit être ferme et définitif. Que l'enfant chiâle, quémande, rouspète ou crie, ils doivent éviter de céder à tout prix. Céder serait alors accorder un pot-de-vin ou une récompense pour les comportements tyranniques de l'enfant.

Nous devons choisir un moment où l'enfant n'est pas en train de mal se comporter pour lui faire une promesse.

En effet, une promesse est déjà un encouragement; et un encouragement qui suit immédiatement un comportement indésirable est un pot-de-vin.

Exemple:
Il faut éviter de dire:
"Si t'arrêtes de chiâler, je t'achète une crème glacée.

LA LOI DU MOINDRE EFFORT

L'enfant qui peut tout avoir sans faire d'efforts ne fera pas d'efforts. Et pourquoi en ferait-il?

Celui qu'on dit "paresseux" et "gâté" vit sous la dépendance de parents possessifs, dévorés par des sentiments d'inquiétude et de culpabilité à son endroit. C'est pourquoi, ces parents donnent tout à l'enfant, cèdent à ses désirs déraisonnables, se sentent incapables de lui dire "non" et d'exiger de lui qu'il fasse les apprentissages de son âge: comme manger correctement (plusieurs de ces enfants sont gloutons et malpropres à table, abusent de friandises et de féculents, souffrent d'obésité), aller à la toilette (plusieurs mouillent leur lit ou leur pantalon), faire leur part de tâches ménagères et exécuter leurs travaux scolaires (plusieurs ont un rendement académique inférieur à leurs capacités).

TENIR NOS PROMESSES

Lorsque nous promettons une récompense et que l'enfant la gagne par des efforts ou des bons comportements, nous devons tenir nos promesses, même si, en toute dernière minute, l'enfant fait une autre bêtise.

Sinon, l'enfant aura le sentiment que nous sommes injustes avec lui, et il cessera de faire des efforts et d'avoir confiance en nous.

NOS PROMESSES DOIVENT ÊTRE PRÉCISES ET RÉALISABLES DANS UN AVENIR PROCHAIN

Il faut **éviter** les promesses qui ne comportent pas d'exigences précises et qui ne peuvent se réaliser que dans un avenir lointain.

Exemples à éviter:
— *"Si tu te tiens tranquille chez tante Alberte, tu auras une crème glacée."*
— *"Si tu as un bon bulletin le mois prochain, je te donnerai un dollar."*

L'enfant sent alors que l'éducateur ou le parent cherche une solution miracle pour se débarrasser de lui.

Ce sentiment de l'enfant vient, en partie, du fait que ces promesses sont trop vagues ou leur réalisation trop lointaine. "Un bon bulletin" ne dit pas précisément quelles notes l'enfant doit gagner; "se tenir tranquille" ne dit pas ce que l'enfant doit faire ou ne pas faire; "le mois prochain", c'est trop loin pour que l'enfant ait le goût de travailler MAINTENANT.

Il faut dire:
— *"Si tu obtiens au moins six sur dix pour ton concours de français aujourd'hui, je t'amène ce soir "manger une crème glacée."*
— *"Si tu t'amuses sans rien briser chez tante Alberte, je te raconterai une belle histoire, ce soir, avant d'aller au lit."*

Chapitre V

Des encouragements pleinement efficaces

Nos encouragements ne doivent pas se faire attendre. Ils doivent suivre **immédiatement** les comportement que nous désirons encourager.

Des études ont démontré que plus l'encouragement **suit de près** un comportement, plus cet encouragement a de l'effet. Il y a alors plus de chances que l'enfant reproduise de nouveau le comportement pour lequel il a été encouragé.

Exemples:
Ainsi, on peut prévoir qu'un enfant sera plus porté à faire, de nouveau, la vaisselle, si ses parents le remercient **immédiatement** *au moment même où il termine son travail, que s'ils le remercient seulement une heure plus tard.*

De même, un enfant sera plus porté à obéir à ses parents, si ceux-ci l'encouragent **immédiatement** *quand il leur obéit.*

AUGMENTER L'EFFICACITÉ DES ENCOURAGEMENTS IMMÉDIATS EN RACONTANT LES BONS COMPORTEMENTS ET LES PETITS PROGRÈS DE L'ENFANT AUX PERSONNES QU'IL PRÉFÈRE

Les enfants sont très sensibles à la considération et à l'estime des gens qu'ils aiment et admirent. Ils sont prêts à faire beaucoup d'efforts pour mériter l'approbation des personnes qu'ils aiment. Ces personnes peuvent être le père ou la mère, un oncle, une tante, les grands-parents, un voisin, une voisine ou encore des amis de la famille.

Aussi lorsqu'un enfant fait un effort spécial pour bien se comporter, pour faire un travail ou pour rendre service, il est bon de lui mentionner que nous en parlerons aux personnes en question. Ensuite, il faut s'exécuter dès que possible. S'il n'est pas possible de rencontrer ces personnes le jour même pour tout leur raconter, on ne doit pas hésiter à leur téléphoner. L'enfant pourra alors parler, lui aussi, avec cet être cher et recevoir les encouragements qu'il mérite.

Exemple:

Jeannot adore son père. Aussi, chaque soir, quand le père revient de son travail, Jeannot est là, à la fenêtre, pour guetter son retour.

Tante Hélène, qui garde Jeannot pendant la journée, connaît bien les enfants et elle sait se faire aimer et écouter. De temps en temps, dans la journée, quand elle observe que Jeannot fait des efforts spéciaux pour bien se comporter, a des initiatives heureuses ou fait une création nouvelle, elle le félicite immédiatement et lui dit: "Je vais en parler à papa quand il entrera" ou "On va montrer ça à papa, ce soir". Alors, Jeannot manifeste sa joie et ses yeux brillent de plaisir.

Quand le père entre, le soir, c'est toute une fête pour Jeannot. Tante Hélène raconte dans les détails les exploits de son neveu; le père écoute avec intérêt et montre par ses attitudes, ses questions et ses encouragements qu'il est très fier de son fils.

SURPRENDRE, DE TEMPS EN TEMPS, L'ENFANT À BIEN FAIRE, ET LUI EXPRIMER NOTRE CONTENTEMENT

Comme nous l'avons vu précédemment, Tante Hélène savait, de temps en temps, "surprendre" Jeannot en train de bien faire. Elle avait appris cela quelque part, peut-être de ses parents, d'une grande soeur ou d'une gardienne qui l'avait, elle aussi, choyée de cette façon pendant son enfance. Voilà pourquoi Tante Hélène savait, tout naturellement et sans effort, surprendre son neveu en train de bien faire et l'encourager dans ses progrès.

Malheureusement, nous n'avons pas tous eu la chance de Tante Hélène... et nous avons peut-être appris plutôt cette malencontreuse habitude de surprendre les enfants à mal faire pour les chicaner...

Les enfants adorent les surprises. Ils sont prêts à faire de grands efforts pour les obtenir. Aussi, quand les enfants éprouvent de grandes difficultés ou qu'ils ont besoin d'une motivation spéciale, l'annonce d'une "surprise" est bienvenue.

Les parents doivent toutefois prendre grand soin d'indiquer **clairement** à l'enfant quels sont exactement les comportements désirés pour mériter cette "surprise".

Exemples:

Daniel déteste les maths. Quand il a des maths pour devoir, il s'asseoit devant sa table de travail avec un air découragé et il prend un temps fou pour se mettre à l'ouvrage. Ce soir, son père, au lieu de chicaner comme d'habitude, lui a dit avec entrain: "Je sais que tu n'aimes pas les maths. J'ai, cependant, une suggestion à te faire pour t'encourager dans tes efforts. Dans une demi-heure, exactement, je reviens te voir. Si tu as terminé les six problèmes que tu as à résoudre et que tu en as au moins quatre de bons, je te promets une petite "surprise"!"

Jacques fait souvent pipi dans ses culottes quand il joue dehors avec ses amis. Cet après-midi, quand il est sorti dehors, sa mère lui a promis une "surprise" si sa culotte était encore sèche à l'heure du souper.

SAVOIR RECONNAÎTRE ET ENCOURAGER LES PETITS PROGRÈS

L'enfant, tout comme nous d'ailleurs, ne peut atteindre la perfection du premier coup. Il apprend et progresse peu à peu chaque jour. S'il reçoit de l'approbation et des encouragements pour ses petits progrès, il continuera de s'améliorer. Sinon, il y a des chances qu'il se décourage et abandonne.

Exemples:

Quand René a dessiné son premier bonhomme, il a oublié de faire les yeux, les oreilles, la bouche et les doigts. Son père l'a félicité chaleureusement (sans mentionner les oublis), et il a affiché le dessin après l'avoir montré à toute la famille. René a continué à faire des bonshommes et à s'améliorer dans ses dessins. Le père a aussi continué de féliciter son fils pour ses petits progrès en dessin. Aujourd'hui, René est très habile et adore le dessin.

Pierre avait treize ans. C'était un garçon qui, d'habitude, refusait de collaborer et d'aider aux tâches familiales. Un jour, son père lui a demandé de couper le gazon pendant que lui, le père, taillerait la haie. Pierre a commencé à couper le gazon sans rechigner, puis s'est arrêté après quinze minutes en déclarant qu'il était tanné. Contrairement à son habitude, le père a évité de chicaner et de traiter son fils de paresseux. Il lui a déclaré: "Aujourd'hui, je suis fier de toi. Tu as travaillé au moins quinze minutes d'affilée; tu as tondu un grand morceau! Tu me rends très content." Depuis ce jour, Pierre s'est montré plus intéressé à aider son père; ce dernier a continué de remarquer et de souligner les petits progrès de son fils. Aujourd'hui, Pierre est devenu un garçon travaillant et habile.

Il ne s'agit pas simplement de promettre un cheval à un enfant qui, en début d'année scolaire, obtient une moyenne de 40%, pour que celui-ci obtienne une moyenne de 80% à la fin de l'année scolaire.

Ce n'est pas, non plus, la simple promesse d'une télévision qui amènera un enfant à cesser de sucer son pouce.

De telles promesses globales n'ont, généralement, aucun effet sur l'enfant parce qu'elles nécessitent de sa part un **trop grand nombre d'efforts** pour **un seul encouragement** qui, de plus, ne surviendra que dans un avenir **trop lointain.**

Il est important de retenir que l'enfant a besoin, au départ, d'être encouragé **immédiatement** après **chacun** des petits efforts qu'il fournit.

POUR ÊTRE VRAIMENT EFFICACES, LES ENCOURAGEMENTS MATÉRIELS DISPENDIEUX, DONT L'ATTRIBUTION NE PEUT SURVENIR QUE DANS UN AVENIR LOINTAIN, DOIVENT ÊTRE GAGNÉS PAR PETITES PORTIONS; PENDANT CE TEMPS, CHAQUE PETIT PROGRÈS DE L'ENFANT DOIT ÊTRE SUIVI D'ENCOURAGEMENTS IMMÉDIATS.

Un encouragement matériel dispendieux peut être gagné sur une période de plusieurs jours. Cependant, pour que cet encouragement matériel soit efficace, nous devons prendre soin de fractionner la tâche à accomplir ou la difficulté à surmonter en petites portions, à chaque jour, de manière à ce que l'enfant soit fréquemment encouragé.

Exemple:

Rémi avait 9 ans et suçait encore son pouce pendant le jour comme pendant la nuit. Il désirait se corriger de cette mauvaise habitude, mais il trouvait cela trop difficile.

Un jour, ses parents découvrirent qu'un des grands rêves de Rémi était de posséder un magnétophone à cassette. Ils décidèrent alors d'aider Rémi à se débarrasser de sa mauvaise habitude en lui promettant ce magnétophone si, au cours des 40 jours suivants, Rémi réussissait à ne pas sucer son pouce pendant 100 des 120 étapes que durerait le défi.

Ils prirent un grand carton qu'ils divisèrent en 120 carreaux de la façon suivante:

Jour	9h à 12h	12h à 17h	17h à 21h
1er			
2e			
3e			
4e			
5e			
6e			
7e			
8e			
9e			
10e			
11e			
12e			
13e			
14e			
15e			
16e			
17e			
18e			
19e			
20e			
21e			
22e			
23e			
24e			
25e			
26e			
27e			
28e			
29e			
30e			
31e			
32e			
33e			
34e			
35e			
36e			
37e			
38e			
39e			
40e			

Trois fois par jour, au dîner, au souper et au coucher, les parents félicitaient Rémi pour s'être abstenu de sucer son pouce pendant cette période. Ils lui donnaient une étoile qu'il allait coller dans le carreau correspondant à l'étape réussie.

Cependant, lorsque Rémi s'oubliait et suçait son pouce, les parents ne faisaient aucune remarque désobligeante. Ils lui disaient simplement: "Nous savons que c'est difficile pour toi", mais Rémi ne gagnait pas d'étoile et ne recevait pas les félicitations enthousiastes de ses parents.*

Cette histoire finit bien, puisque Rémi réussit à gagner son magnétophone pendant la période prévue et à se corriger complètement de l'habitude de sucer son pouce.

* Pour aider Rémi à ne plus oublier, ses parents lui ont suggéré de mettre sur son pouce un ruban adhésif.

AU DÉBUT D'UN APPRENTISSAGE, IL FAUT ENCOURAGER L'ENFANT POUR CHACUN DE SES PETITS PROGRÈS. ENSUITE, QUAND L'ENFANT EST SUR LA BONNE VOIE ET QUE L'APPRENTISSAGE VA BON TRAIN, IL FAUT L'ENCOURAGER ASSEZ SOUVENT ET DE FAÇON IRRÉGULIÈRE

Les encouragements très fréquents ou dispensés de manière continue ne sont nécessaires qu'au début de l'apprentissage d'un comportement nouveau. Une fois que ce comportement se manifeste fréquemment, nous devons diminuer graduellement le nombre de nos encouragements, sans toutefois les faire cesser complètement.

Exemple:

Marie a six ans. Elle en est à ses premières leçons de piano.

Au cours de sa pratique quotidienne, la mère intervient au moins une bonne dizaine de fois pour apprécier les efforts et les petits progrès de sa fille. Marie est très enthousiaste de recevoir les encouragements de sa mère. Elle apprend à aimer travailler au piano, parce que ses efforts sont reconnus et appréciés.

Après quelques mois, la mère commence à diminuer très graduellement la fréquence de ses encouragements (et non la qualité des encouragements) pour en arriver, un an plus tard, à donner de l'attention et des encouragements à sa fille seulement une ou deux fois par pratique.

Même lorsque Marie sera devenue très habile au piano, la mère ne cessera jamais complètement de souligner les progrès et les efforts de sa fille, ceci pour éviter que Marie se décourage et abandonne.

GARE AUX APPROBATIONS ET AUX ENCOURAGEMENTS CONTINUELS PENDANT UNE TROP LONGUE PÉRIODE DE TEMPS

Les approbations et les encouragements qui sont dispensés massivement de façon continue pendant trop longtemps risquent de rendre l'enfant excessivement dépendant de ses parents. Cet enfant peut, ensuite, rechercher constamment le regard et l'approbation de ses parents. Il risque de devenir un enfant quémandant et collant, toujours agrippé à l'adulte et incapable de faire quoi que ce soit par lui-même, sans la présence de l'adulte approbateur.

L'enfant trop longtemps gavé d'encouragements continuels sera plus facilement enclin à se décourager quand les encouragements se feront plus rares de la part de son entourage *(par exemple, lorsqu'il ira à l'école)*.

L'ENFANT IMITE NATURELLEMENT LES PERSONNES QU'IL AIME

Les enfants apprennent beaucoup en imitant les personnes qu'ils aiment et admirent.

Lorsqu'un enfant aime ses parents, il les choisit tout naturellement comme modèles. Il les imite dans leurs tâches quotidiennes et dans leurs conduites morales. De là, l'importance pour les parents de mériter cette affection et cette admiration de leur enfant en le traitant avec respect, affection et justice, en l'approuvant et en l'encourageant de temps en temps dans ses efforts et ses réalisations.

L'approbation, l'affection et les encouragements des parents amènent l'enfant à imiter ses parents et à se conduire souvent comme eux.

Chapitre VI

— **La critique, la moquerie et la colère des parents** —

LA CRITIQUE HUMILIE L'ENFANT, LE BLESSE, LE PORTE À SE HAÏR LUI-MÊME ET À HAÏR SES PARENTS; ELLE PRODUIT LA RÉVOLTE OU LE DÉCOURAGEMENT *

Exemples de critiques à éviter:

— *"Tu es un égoïste."*
— *"Espèce de grand bébé!"*
— *"Tu es juste un hypocrite!"*
— *"Stupide!"*
— *"Maladroit!"*
— *"Niaiseux!"*
— *"Menteur!"*
— *"Vicieux!"*
— *"Tu ne pourrais pas faire attention!"*
— *"Tu te penses bien intelligent!"*
— *"Tu n'es pas assez grand pour tenir un verre sans le renverser!"*
— *"Tu manges comme un cochon!"*
— *"Assis-toi donc comme il faut!"*

* Certaines de ces critiques peuvent amener un enfant à penser qu'il est mauvais, méchant ou rejeté; d'autres, à se percevoir comme une personne inhabile, maladroite ou incompétente. Ces sentiments risquent de demeurer longtemps en lui, même toute sa vie.

UTILISÉ TROP SOUVENT, LE RIDICULE CONTRIBUE À DÉTRUIRE L'IMAGE POSITIVE QUE L'ENFANT A DE LUI-MÊME

Il faut éviter de se moquer des enfants. Il faut éviter de faire des plaisanteries ou des farces sur leur apparence, leurs attitudes et leurs comportements. Ces rires humilient et blessent l'enfant.

Exemples de moqueries à éviter:

- *"Grande perche!" "Jambes de girafe!" "Deux par quatre!"*
- *"Ti-cul!" "Squelette ambulant!" "Ti-boute!" "Rougette!" "Picotte!"*
- *"Planche à repasser!" "Grosse torche!"*
- *"Bébé!" "Fillette!" "Mémère!"*
- *"Parle plus fort, on t'entend pas!" (quand un enfant hurle de colère)*
- *"Es-tu en train de chanter!" (quand un enfant pleure de tristesse ou crie de rage)*

- *"Que c'est beau des larmes de crocodile."*
- *"On va te donner une suce."*
- *"On va te mettre une petite robe." (à un garçon)*
- *"On va t'acheter une poupée." (à un garçon efféminé)*
- *"T'es gros comme une puce et tu penses me faire peur?"*
- *"Tu te penses bien fin là, bien "smart"!"*
- *"T'as même pas encore le nombril sec...!"*

LA COLÈRE EST UNE ÉMOTION HUMAINE INÉVITABLE

Quand les parents éclatent de colère, ils doivent s'exprimer sans attaquer la personnalité de leur enfant. Ils doivent en même temps décrire en détail le comportement qui les met dans cet état.

Exemples:

On peut dire:
- *"Là, je suis très fâché après toi. A l'avenir, je ne veux plus te voir fouiller dans mes tiroirs!"*

- *"Ca me fâche noir (ou je vois rouge) quand tu me parles sur ce ton!"*

- *"Quand je te vois tapocher ta petite soeur de même, je te mettrais mon pied au cul!"*

- *"Ca me met en maudit de t'entendre marmonner quand je te parle! Dans ce temps-là, c'est pas mêlant, je t'étriperais!"*

- *"Que tu me répondes comme si j'étais un chien, ça je ne le prends pas!"*

- *"Hier, t'as brisé le stéréo, puis, à soir, la télévision; là, j'ai mon voyage! Disparaît pour dix minutes ou je sens que je pourrais t'écrabouiller!"*

- *"Quand tu me ris dans la face comme ça, je te mettrais mon poing sur la gueule, si je ne me retenais pas!"*

et non:
(Les expressions qui suivent sont blessantes ou provocantes)
- *"Espèce de fouilleuse! Quand est-ce que tu vas apprendre à ne plus mettre ton grand nez dans mes affaires!"*

- *"Petit polisson! Tu devrais avoir honte de me parler sur ce ton là!"*

- *"Tu n'es qu'un lâche! Il n'y a que les lâches pour frapper les filles. Si jamais je te reprends à tapocher ta soeur, je vais te mettre mon pied quelque part!"*

- *"Espèce de mal-appris! Arrête de marmonner ou tu vas avoir ma main sur la gueule!"*

- *"Si tu ne fermes pas ta grande boîte, je vais te la fermer, moi!"*

- *"Imbécile! Tête de linotte! On se fait mourir pour toi, puis toi, tu penses rien qu'à briser!"*

- *"Mon espèce d'épais, toi, tu vas voir que, si je te mets la main au collet, je vais te les faire avaler tes grosses palettes!"*

LES COLÈRES FRÉQUENTES SONT UN SIGNE DE NERVOSITÉ

Les parents qui ont eu, au cours de leur vie, à souffrir de privations excessives, de punitions trop nombreuses ou trop intenses, de grosses frustrations, d'accidents, de maladies graves ou d'autres traumatismes, d'injustices et d'agressions de toutes sortes, sont davantage portés à se mettre en colère et à agresser leurs enfants par des coups ou par des paroles blessantes.

Il y a aussi des parents qui ont appris à se mettre en colère (et parfois même à agresser les autres) simplement en imitant leurs propres parents ou d'autres personnes de leur entourage.

D'autres parents vivent présentement dans des conditions très difficiles (maladie, pauvreté, endettement, mauvaises conditions de travail, conflits interpersonnels, etc.) qui génèrent beaucoup de tensions.

Ces parents-là ont des colères qui sont généralement disproportionnées par rapport aux petites erreurs et aux petits comportements indésirables de leurs enfants.

En plus de devoir trouver des solutions satisfaisantes à leurs problèmes présents et à leurs conditions de vie, ces parents devront apprendre à mieux se contrôler, à se calmer et à se détendre.*

* Les parents trop nerveux, qui ne peuvent arriver par eux-mêmes à se calmer, auront avantage à suivre des cours de relaxation. Ils pourront ensuite s'appliquer à mettre en pratique ces techniques dans leur vie quotidienne.

Bien des colères pourraient être évitées, si nous arrivions à exprimer verbalement les sentiments premiers qui en sont la cause.

Exemples:

— *Jacques, 5 ans, a été surpris en train de prendre de l'argent dans la sacoche d'une de ses tantes à l'occasion d'une fête familiale. Sa mère le prend à part et lui dit: "Si tu savais comme je me sens humiliée quand tu te conduis comme ça devant nos invités!"*

— *Guylaine a 4 ans. Elle vient de faire une crise dans un Centre d'Achats, parce que son père a refusé de lui acheter un chiot. Quand elle réussit à se calmer, son père lui dit: "Je me sens vraiment mal à l'aise et je voudrais disparaître tellement j'ai honte quand tu cries comme ça devant tout le monde".*

— *Chantale, 15 ans, n'est pas entrée et il est deux heures du matin. Sa mère a réveillé son père pour partager ses inquiétudes: "Comme je suis inquiète! Ca fait trois heures qu'elle devrait être revenue à la maison!" En partageant ainsi ses inquiétudes, elle parvient à se contrôler. Enfin, Chantale arrive; au lieu de l'accueillir en colère, sa mère lui dit avec un soupir de soulagement: "Ouff! Que nous avons eu peur! Nous pensions qu'il t'était arrivé quelque chose!"*

— *Claude a 16 ans. Il annonce à ses parents qu'il quitte l'école définitivement. Son père lui dit sa déception: "Ca me déçoit beaucoup... Tu le sais, j'ai toujours désiré te faire instruire... mais, c'est ta vie à toi: tu peux la faire comme tu veux; c'est ta décision, pas la mienne. Je ne veux pas t'empêcher d'aller travailler."*

Exemples:
— "Je m'excuse; je me suis emporté".

— "Je m'excuse pour ce que j'ai dit. Je ne le pensais pas vraiment; j'ai dépassé ma pensée."

— "Je m'excuse de t'avoir frappé; je n'ai pas été capable de me retenir tellement j'étais fâchée".

Cependant, quand nous nous excusons, nous devons éviter de continuer à proférer des blâmes et à rejeter les torts sur l'enfant. Celui-ci n'accepterait pas nos excuses.

Exemples:
Ne pas dire:
— "Je m'excuse pour les insultes que je t'ai dites, mais t'avais beau cesser de me narguer quand je t'ai averti."

— "Je m'excuse pour t'avoir frappé, mais si tu n'étais pas si tannant, ça n'arriverait pas ces choses-là!"

— La compréhension —

Chapitre VII

LORSQU'UN ENFANT REÇOIT UN COUP DUR OU SE TROUVE SOUS LE CHOC D'UNE ÉMOTION INTENSE, CE N'EST PAS LE TEMPS DE LUI FAIRE LA LEÇON

L'enfant est comme nous. Quand nous avons une grosse déception ou un échec, que nous faisons une erreur ou une bévue, que nous sommes tristes ou en colère, nous n'aimons pas qu'on nous critique, qu'on nous donne des conseils, ou qu'on nous fasse la morale. Ainsi, lorsque nous brûlons un feu rouge sans le faire exprès, nous n'aimons pas que quelqu'un nous dise: "Tu ne vois pas clair, non?"

Quand nous avons un accident d'auto, ce n'est pas le moment que quelqu'un nous dise: "Tu n'aurais pas pu faire un peu plus attention?"

Quand le patron nous a humilié ou insulté, ce n'est pas le temps que quelqu'un vienne nous critiquer ou faire enquête pour voir quels sont nos torts: "Et toi, qu'est-ce que tu lui as dit pour qu'il te dise des insultes?" ou "Le patron avait bien raison de se mettre en colère." ou "Ce n'est pas la peine de te fâcher tant que ça pour si peu!"

— *A l'enfant qui est resté en retenue après la classe: "Qu'est-ce que tu as fait pour mériter cette punition?" ou "C'est bon pour toi, ça t'apprendra!"*

— *A l'enfant qui fait un dégât accidentel: "Tu ne pourrais pas faire attention?"*

— *A l'enfant qui souffre d'une indigestion: "La prochaine fois, tâche d'être moins gourmand."*

— *A l'enfant qui est jalouse: "Pour que tu sois contente, il faudrait que nous n'achetions jamais rien pour ta soeur."*

— *A l'enfant qui est en colère: "Ca ne vaut pas la peine de te fâcher pour si peu!"*

— *A l'enfant qui est malade: "Il y en a des pires que toi, tu sais!"*

Avant de donner son point de vue ou des conseils à un enfant, avant même de le consoler et de le rassurer, il faut lui **montrer** que nous comprenons ses **sentiments.**

EXEMPLES:

Mieux vaut dire d'abord:
— *"Tu aurais aimé aller à la pêche avec ton oncle!" ou "Tu es déçu de ne pas aller à la pêche?"*
que:
— *"Tu sais bien que ton oncle ne pouvait t'amener!"*

Mieux vaut dire d'abord:
— *"C'est triste de perdre son chien."*
que:
— *"C'est seulement un chien: cesse de pleurer; on va t'en acheter un autre."*

Mieux vaut dire d'abord:
"Tu aimerais avoir une belle robe comme celle de ta soeur." ou "Tu dois penser que nous aimons mieux ta soeur que toi."
que:
— *"Voyons, chérie, tu as plus de robes qu'elle n'en a!"*

Mieux vaut dire d'abord:
— *"C'est dur ce travail!"*
que:
— *"Dépêche-toi pas tant, puis ça va aller mieux!"*

Chapitre VIII

— Les menaces —

LES MENACES ET LES TAPES SONT DES MIRAGES

Les menaces et les tapes paraissent efficaces parce qu'elles donnent l'illusion de réussir immédiatement. Sur le coup, l'enfant arrête, mais il recommence plus souvent par la suite.

Lorsque nous menaçons ou tapons un enfant, nous lui donnons de l'attention pour ses mauvais comportements et nous risquons ainsi de l'encourager à mal se comporter.

De plus, en lui servant de modèle, nous lui montrons à faire des menaces et à utiliser la violence pour obtenir ce qu'il désire.

LA MENACE CONDUIT À LA DÉSOBÉISSANCE

La menace est une provocation à mal se comporter. Elle porte l'enfant à faire d'autres menaces ou à se venger. La menace est aussi une invitation à désobéir.

Un mari dirait à sa femme: "Si le souper n'est pas prêt quand je vais arriver, je vais aller souper ailleurs." et une épouse à son mari: "Si tu ne laves pas le plancher, je ne te fais pas à souper." Suite à de telles menaces, que se passerait-il? Il en va de même pour les menaces que nous faisons aux enfants.

AVEC LE TEMPS, LES AVERTISSEMENTS ET LES MENACES FUTILES DEVIENNENT INEFFICACES

Peu à peu, les enfants s'aperçoivent que la plupart des menaces qui leur sont faites ne sont que des paroles en l'air. Alors, pourquoi en tiendraient-ils compte?

Il n'est pas étonnant que les recherches sur ce sujet montrent que les menaces et les avertissements n'ont généralement pas l'effet désiré.

D'autre part, on peut supposer que les menaces rendent l'enfant encore plus nerveux, parce que celui-ci ne sait jamais, d'une manière sûre, si les menaces que lui font ses parents seront, ou non, mises à exécution.

NE MENAÇONS JAMAIS DE BLESSER UN ENFANT, DE LE REJETER OU DE L'ABANDONNER

Exemples:
— *"Si tu fais ça, je vais te casser les jambes."*
— *"Si tu fais ça, je vais te couper les oreilles."*
— *"Si t'arrêtes pas de jouer avec ton pipi, je vais te le couper."*
— *"Si tu continues, je vais t'envoyer au collège."*
— *"Si t'arrêtes pas de faire le tannant, je vais te faire placer par le Bien-être social."*
— *"Si ça continue, je ne t'aimerai plus."*

Ce genre de menaces effraie l'enfant, l'attriste et le rend anxieux. De telles menaces peuvent causer parfois des échecs scolaires, l'enfant devenant incapable de se concentrer sur autre chose que sur sa peur d'être blessé ou abandonné.

Chapitre IX

NE DONNONS JAMAIS DE VOLÉES ET DE PUNITIONS CORPORELLES* AUX ENFANTS

Quand nous donnons la volée ou une punition corporelle à un enfant, nous posons un geste qui le porte:

- à s'éloigner de nous par peur et par haine
- à nous garder rancune
- à vouloir se venger de nous
- à se cacher pour faire ses coups.

Comme autre conséquence, nous lui enseignons, par notre exemple, à frapper les autres et à utiliser la violence pour imposer ses volontés.

* Par punition corporelle, nous entendons les coups de règles, de courroie, de bâton ou de tout autre objet.

SPE* SOCIÉTÉ PROTECTRICE DES ENFANTS

UTILISÉE SOUVENT, LA TAPE DEVIENT INEFFICACE

Les tapes, quand elles sont fréquentes, enseignent aux enfants à nous haïr et à nous fuir. Elles leur apprennent aussi à commettre en cachette les actions que leur ont déjà valu ces tapes.

S'il faut utiliser la tape comme mesure d'urgence, il faut le faire immédiatement lorsque le comportement indésirable se produit et non pas attendre cinq minutes avant de le faire.

Surtout, la mère ne doit pas attendre que le père arrive de travailler pour faire taper les enfants. Chaque parent doit faire valoir sa propre autorité. Il ne doit pas utiliser son conjoint en matière de discipline. Chacun doit donner lui-même ses sanctions. Il faut aussi dire clairement pourquoi nous tapons.

Exemples:
— "Je t'ai dit de ne pas toucher au gaz, c'est dangereux."
— "Non! pas dans la rue, tu vas te faire écraser par les autos."
— "Je t'ai dit de ne pas jouer avec le briquet et les allumettes."

LA PLUPART DU TEMPS, LES TAPES NE SONT PAS JUSTIFIABLES

Le plus souvent, les tapes servent d'exutoire à la colère, au dépit ou aux frustrations des parents. Ces derniers démontrent ainsi un manque de savoir-faire; ils répètent, sans s'en rendre compte, les comportements et les erreurs de leurs propres parents.

Pour peu qu'ils réfléchissent un moment, ils découvriront facilement des solutions alternatives à la tape.

Cela dit, il est normal que, de temps en temps, les parents perdent patience. Lorsque l'enfant se sait aimé, ce n'est pas une tape occasionnelle, même non méritée, qui peut lui causer un dommage irréparable.

Exceptionnellement, une tape peut s'avérer bénéfique. Nous avons connu des enfants qui ont abusé de leurs parents pendant des années et les ont provoqués jusqu'à ce que ceux-ci les frappent. La gifle ou la tape a alors servi de point de départ, à partir duquel les parents ont appris à fixer des limites raisonnables aux comportements abusifs de leurs enfants, et ces derniers, à respecter la personne et l'autorité de leurs parents.

Chapitre X

— L'isolement et le retrait de privilèges —

L'ISOLEMENT ET LE RETRAIT DE PRIVILÈGES NE SONT QUE DES MESURES DISCIPLINAIRES COMPLÉMENTAIRES

Lorsque l'approbation, l'attention et les récompenses données à l'enfant pour ses bons comportements ne suffisent pas pour lui enseigner à bien se comporter, nous pouvons punir l'enfant pour ses mauvais comportements en l'isolant dans une pièce pour **quelques minutes** ou en lui retirant un de ses privilèges pour une **brève** période de temps.

L'isolement consiste à envoyer l'enfant dans sa chambre, dans la salle de bain ou dans un autre endroit "plate"* pour le priver de notre attention et de notre présence.

Le retrait de privilège consiste à enlever à l'enfant un privilège ou une faveur qu'on lui fait habituellement, comme une émission de T.V., une heure de bicyclette, une heure de jeux dehors, une sortie intéressante, un spectacle, un film au cinéma, l'assistance à une partie de hockey ou de baseball, etc.

* Un endroit où il n'y a ni radio, ni télévision, ni livres, ni revues, ni jouets, ni d'autres objets qui puissent désennuyer l'enfant.

LE RETRAIT DE PRIVILÈGES N'EST PAS UN RETRAIT DE DROITS ACQUIS

Les parents doivent éviter de retirer aux enfants des encouragements matériels que ceux-ci ont déjà gagnés par des bons comportements, des efforts et du travail. Ils doivent également éviter de retirer les récompenses qu'ils ont promises sans condition. De tels actes sont injustes et ne provoquent que déception et colère chez les enfants.

Les enfants doivent connaître à l'avance ce que leurs parents considèrent habituellement comme des privilèges et savoir que ces avantages spéciaux peuvent leur être retirés temporairement lors de comportements franchement indésirables. Il appartient aux parents de définir ces privilèges.

Des règles aussi claires visent à éviter les menaces, les déceptions, de même que le marchandage continuel au sujet des privilèges. Elles éliminent bien des insécurités tant chez le parent que chez l'enfant.

QUAND NOUS ENLEVONS UN PRIVILÈGE, NOUS DEVONS EXPLIQUER EN DÉTAIL LES RAISONS DE NOTRE GESTE

Il faut dire clairement à l'enfant pourquoi nous lui enlevons un privilège.

Exemple:
— *"Pas de télévision avant le souper parce que tu n'es pas arrivé à l'heure convenue."*
Par ailleurs, il faut dire clairement à l'enfant pourquoi nous lui faisons un privilège.

Exemple:
— *"Puisque tu as déjà fini de pelleter la neige dans l'entrée du garage, je te paie le film que tu dois aller voir cet après-midi."*
De plus, le retrait de privilège doit être de courte durée. Sinon, il sera inefficace et source de rancoeur.

Exemples:
— *On prive l'enfant de sa bicyclette pour une heure ou un soir, non pour toute la semaine ou la saison.*
— *On lui enlève une émission de télévision ou un soir de télévision et non pas une semaine ou un mois.*

Une période initiale de 3 à 5 minutes d'isolement est généralement suffisante.

Il faut corriger **un** comportement à la fois. L'isolement utilisé à propos de tout et de rien devient inefficace comme mesure disciplinaire.

Lorsque l'isolement est d'une durée trop longue, l'enfant peut avoir le temps de penser et de s'occuper à autre chose; alors l'isolement devient inefficace. Dans le cas contraire, l'isolement trop long risque de produire chez l'enfant de la haine et de la tristesse.

De plus, certaines recherches suggèrent que l'isolement, quand il est trop long, peut faire disparaître ou supprimer aussi des comportements désirables (en même temps que les comportements indésirables qui sont visés).

* L'endroit où l'enfant est isolé doit être ennuyant. Pas de radio, de télévision, de livres ou jouets qui puissent le désennuyer.
La salle de bain peut servir de lieu d'isolement, si l'on prend soin d'y enlever les objets dangereux et les objets distrayants. On peut aussi asseoir l'enfant dans un coin de la cuisine ou du salon (le visage tourné vers le mur) pour l'inviter à réfléchir ou se calmer.
Cependant, il ne faut jamais isoler l'enfant dans un endroit noir comme une garde-robe ou un placard.

L'isolement dont nous parlons dans ce chapitre est une mesure disciplinaire de très courte durée (de trois à dix minutes). Il ne doit pas être confondu avec l'isolement total pendant des heures ou des jours, ni avec l'isolement moral qui consiste à ignorer complètement pendant des jours la présence d'un enfant ou d'un adolescent.

Nous savons que certains parents, lorsqu'ils sont à bout, et par ignorance, appliquent de telles mesures de torture morale. Une pratique punitive fort répandue consiste à décréter que l'enfant ira dans sa chambre pour toute une fin de semaine, ou encore tous les soirs après l'école pendant une semaine ou plus. Le résultat est généralement tragique: l'enfant devient nerveux, agressif et incontrôlable. Quand il n'agresse pas ouvertement ses parents par des paroles hostiles ou des actes de vengeance, il agresse ses frères et soeurs, les enfants du voisinage ou ses camarades d'école. Dans certains cas, l'enfant tourne son agressivité contre lui-même et sombre dans la tristesse ou le désespoir.

L'ENFANT DOIT COLLABORER À SES PUNITIONS AFIN DE MONTRER SA BONNE FOI: UTILISER LA FORCE POUR LE CONTRAINDRE SUSCITE DES LUTTES INUTILES

Il faut éviter de traîner physiquement, par la force, l'enfant dans la chambre d'isolement.

Si l'enfant refuse d'entrer dans la chambre, il faut lui dire que pour chaque minute de retard à entrer, il aura une minute d'isolement supplémentaire. Au fur et à mesure que les minutes passent, il faut dire calmement: 6 minutes d'isolement, 7 minutes, 10 minutes. Si l'enfant persiste à refuser d'entrer, il faut lui dire, lorsqu'il a atteint un total de 10 minutes, qu'il sera obligé de faire son 10 minutes d'isolement avant le prochain repas.

Passée l'heure du repas, l'enfant aura droit, s'il le désire, à un morceau de fromage, à un verre de lait ou à un fruit, mais seulement après la période d'isolement.

ISOLER UN ENFANT, C'EST LE PRIVER DE NOTRE ATTENTION ET DE NOTRE PRÉSENCE*

Il faut éviter de parler avec l'enfant pendant la période d'isolement, sauf pour ajouter des minutes d'isolement supplémentaires. Si l'enfant ouvre la porte ou frappe à coup de pied dans la porte, il faut alors dire: 1 minute de plus pour avoir ouvert la porte; 2 minutes de plus, etc... **sans discuter.** Les autres personnes de la famille doivent être empêchées de parler avec l'enfant qui est isolé ou d'aller le voir.

* **Note: L'isolement n'est efficace et recommandable que pour les enfants de deux à douze ans. Après cet âge, l'isolement n'est plus recommandé. Il faut alors utiliser des retraits de privilèges. Ex: Enlever une sortie un soir, ou enlever l'utilisation de la bicyclette pour un soir.**

LES PARENTS DOIVENT RESTER CALMES PENDANT LA PÉRIODE D'ISOLEMENT

Si l'enfant sort de la chambre d'isolement sans permission, il faut ajouter une minute d'isolement supplémentaire pour chaque minute en dehors de la chambre.

Dites calmement vos exigences: 2 minutes supplémentaires, 4 minutes, 5 minutes, etc...

Quand l'enfant a accumulé 10 minutes, il faut lui dire qu'il aura à faire son 10 minutes avant le prochain repas.

Passée l'heure du repas, l'enfant aura droit, s'il le désire, à un morceau de fromage, à un verre de lait ou à un fruit, mais seulement après la période d'isolement.

Si l'enfant fait un dégât pendant qu'il est isolé, il faut lui faire réparer le dégât avant de lui permettre de sortir de la chambre d'isolement. S'il s'agit d'objets détruits, il faut lui faire payer ces objets avec son argent ou par son travail.

DANS CERTAINES CIRCONSTANCES, L'ISOLEMENT FOURNIT À L'ENFANT UN TEMPS ET UN LIEU POUR REPRENDRE SON PROPRE CONTRÔLE

Exemples:

— *Gilles, 3 ans, est en colère et ne peut se contenir. Il crie et s'attaque à tout ce qu'il trouve sur son passage. La mère intervient: "Va faire ta crise dans ta chambre. Tu en sortiras quand tu te seras complètement calmé!"*

— *La maison est pleine d'invités. En faisant leurs derniers préparatifs, les parents ont négligé de donner assez d'attention à Johanne, leur petite fille de 4 ans. Pour dire vrai, ils l'ont même frustrée à plusieurs reprises en lui faisant des défenses et en montrant beaucoup d'impatience à son égard. Quand la parenté est arrivée, personne n'a donné d'attention à Johanne, tous étant préoccupés d'admirer le nouveau bébé. Alors, Johanne décide de se venger; elle commence à faire du bruit avec sa bouche, un bruit monotone et exaspérant. Le père intervient d'abord discrètement auprès de Johanne pour reconnaître que ce qui venait de se passer était injuste pour elle et pour lui demander de cesser de faire du bruit avec sa bouche. Johanne continue de plus belle. Le père l'envoie dans sa chambre: "Va te calmer dans ta chambre. Quand tu auras fini, tu reviendras avec nous!"*

L'ISOLEMENT ET LE RETRAIT DE PRIVILÈGE NE SONT JUSTIFIABLES QUE POUR DES MOTIFS SÉRIEUX

Ces mesures punitives ne sont pas applicables à propos de tout et de rien, ni à l'occasion d'une première erreur ou bévue d'un enfant. Elles ne sont utiles et justifiables que dans certaines occasions:

1- Pour corriger ces actions répétées qui sont vraiment dangereuses physiquement ou moralement.

Exemples:
— *L'enfant qui continue d'aller dans la rue avec son tricycle malgré nos interdictions.*
— *L'enfant qui utilise certains outils dangereux, en dépit de nos avertissements.*
— *L'enfant qui continue de frapper des enfants plus jeunes, après avoir été désapprouvé pour ces gestes.*
— *L'enfant qui fait de petits vols à la maison, à l'école ou dans le voisinage.*

2- Pour corriger des infractions répétées à une règle familiale raisonnable.

Exemples:
— *L'enfant qui entre trop souvent en retard sur l'heure fixée par ses parents.*
— *L'enfant qui prend sans autorisation ou qui détériore volontairement des objets appartenant à d'autres membres de la famille.*
— *L'enfant qui, malgré tous nos enseignements, continue de dire aux autres des paroles blessantes.*

L'ISOLEMENT ET LE RETRAIT DE PRIVILÈGES NE SONT UTILISABLES QU'EN TOUT DERNIER RESSORT

Avant d'appliquer ces mesures punitives, les parents doivent avoir tenté sérieusement de solutionner les problèmes que présentent les enfants par des explications, des instructions appropriées et par la mise en opération d'un programme d'encouragements.*

Ce n'est que lorsque ces moyens ne produisent pas les résultats escomptés que les parents peuvent se permettre de recourir à des mesures punitives comme l'isolement et le retrait de privilèges, tout en **maintenant en vigueur** leur programme d'encouragements.**

---

* Pour des exemples de programmes d'encouragements, voir les pages 188, 230, 231, 259, 265, 269, 287, 288, 290, 327, 333.
** Pour un exemple, voir page 331.

L'ISOLEMENT ET LE RETRAIT DE PRIVILÈGES PEUVENT TEMPORAIREMENT FAIRE DIMINUER LE NOMBRE DES COMPORTEMENTS INDÉSIRABLES, MAIS CES MESURES SONT INSUFFISANTES POUR APPRENDRE À UN ENFANT À BIEN SE COMPORTER

Il faut insister sur le fait qu'on ne peut enseigner des bons comportements aux enfants **uniquement** par des mesures d'isolement et de retrait de privilèges.

Tout au plus, ces mesures peuvent diminuer la fréquence des comportements indésirables.

L'isolement et le retrait de privilèges ont aussi, parfois, comme inconvénient d'enseigner à l'enfant à faire ses mauvais coups en cachette.

Exemple:
L'enfant qui du haut de l'escalier crache sur la tête des voisins éprouve un tel sentiment de puissance que nos punitions risquent de ne pas être efficace à cent pour cent. L'enfant continuera probablement à cracher de temps en temps en cachette malgré nos punitions.

De plus, il est certain qu'à elles seules nos punitions ne réussiront pas à enseigner à cet enfant des comportements respectueux à l'égard des voisins.

PARALLÈLEMENT AUX MESURES D'ISOLEMENT OU DE RETRAIT DE PRIVILÈGES, IL Y A NÉCESSITÉ D'ENCOURAGER LES COMPORTEMENT DÉSIRABLES.

L'isolement et le retrait de privilèges sont des punitions qui peuvent faire diminuer la fréquence des comportements indésirables. Mais, si ces comportements indésirables ne sont pas remplacés rapidement par d'autres comportements qui sont plus désirables, les parents ne sont pas plus avancés. L'enfant va finir par s'habituer à ces punitions, ou encore il va apprendre à mal agir en cachette pour éviter ces punitions.

De là, la nécessité d'encourager d'autres comportements désirables, en même temps que nous tentons de faire diminuer le nombre des comportements indésirables. Par exemple, si les parents décident de faire diminuer la fréquence des crises de colère de leur fils en utilisant l'isolement, ils devront, en même temps, faire un plan pour encourager celui-ci (par des approbations, des encouragements verbaux, des points, des étoiles ou des encouragements matériels) lorsqu'il garde son contrôle, s'amuse, travaille ou agit paisiblement, seul ou avec d'autres enfants.

Chapitre XI

Les grands dangers que comporte l'abus de mesures punitives

L'ABUS DE LA PUNITION, SOUS TOUTES SES FORMES*, COMPORTE UNE MENACE SÉRIEUSE POUR LA SANTÉ D'UN ENFANT ET DE L'ADULTE QU'IL DEVIENDRA

Ces abus rendent l'enfant nerveux. L'enfant fréquemment puni, grondé et menacé est en état d'alerte constante. Il est sur le "qui-vive", constamment "aux aguets", dans l'attente d'une punition éventuelle. Il ne sait ni quand ni pourquoi il sera puni. Il ne sait pas non plus comment il peut éviter les punitions.

Tôt ou tard, ces abus de punitions peuvent développer des peurs et des craintes nombreuses, une grande insécurité et, parfois même, contribuer à l'éclosion de certaines maladies.

Le développement émotif de l'enfant sera compromis, car ce dernier ne verra plus que les aspects négatifs de la vie: la peur, la douleur, la tristesse, le doute, la honte, la culpabilité, la haine. Il perdra sa bonne humeur, sa confiance en lui et sa confiance envers la vie.

* **Les mots "punition" et "mesures punitives" signifient ici, non seulement les punitions corporelles, mais aussi le retrait de privilèges, l'isolement, les menaces, les paroles rejetantes, les critiques, les blâmes, les désapprobations pleines de colère, l'utilisation du ridicule, les humiliations, les insultes et les adjectifs dévalorisants.**

L'ABUS DE LA PUNITION, SOUS TOUTES SES FORMES, ÉLOIGNE LES ENFANTS DE LEURS PARENTS

Tous les parents désirent se sentir près de leurs enfants. Ils souhaitent avoir de bonnes relations avec eux. Ils espèrent pouvoir communiquer avec eux en toute confiance et avoir des échanges verbaux sur leurs sentiments, sur leur travail et sur leurs projets réciproques.

Cependant, la méthode d'éducation punitive peut rapidement saboter tous ces espoirs. Bien vite, l'enfant puni a peur de ses parents et il se méfie d'eux. Il cherche à éviter à la fois les punitions et les parents punisseurs. Souvent, il éprouve envers ses parents de la colère, de la haine et des désirs de vengeance. Il s'éloigne d'eux et prend de la distance affective. Il se replie sur lui-même ou se confie à d'autres.

Quand la maison n'est plus qu'un lieu de punitions, les enfants cherchent généralement à en sortir.

LES MESURES PUNITIVES RISQUENT DE SUPPRIMER TOUTES LES ACTIVITÉS D'UN JEUNE ENFANT, Y COMPRIS SES ACTIVITÉS DÉSIRABLES

Plus un enfant est jeune, plus les mesures punitives intenses risquent de supprimer les comportements désirables en même temps que les comportements indésirables.

En effet, il est souvent très difficile, en pratique, de donner une punition **immédiatement** (à une ou deux secondes près) après un comportement indésirable. Il s'ensuit qu'un bébé ou un très jeune enfant est très souvent incapable de faire le lien entre la punition elle-même et le comportement que ses parents veulent punir. Alors, l'enfant éprouve une peur et une confusion intense, et il peut alors cesser d'agir ou diminuer considérablement toutes ses activités.

La même peur et la même confusion peut se produire chez les enfants plus âgés qui sont sévèrement blâmés, critiqués, harcelés, chicanés et battus pour tout et pour rien. Nombreux sont les enfants qui cessent alors d'explorer, de jouer et d'agir, ou encore qui diminuent considérablement ces activités.

MÊME LORSQUE L'ENFANT COMPREND POURQUOI IL EST PUNI OU CHICANÉ, CERTAINES MESURES PUNITIVES PARTICULIÈREMENT FORTES PEUVENT SUPPRIMER TOUT UN GROUPE DE COMPORTEMENTS SEMBLABLES

Les grosses punitions, telles les grosses punitions corporelles, les cris aigus accompagnés de paroles violentes, les menaces de rejet ou de blessures physiques, les humiliations particulièrement cruelles, peuvent supprimer en une fois toute une catégorie de comportements.

Par exemple, un enfant qui, pour un simple mot grossier ou un écart de langage, reçoit une super-volée accompagnée de cris et d'insultes va, bien sûr, se la fermer pour un bon moment. Il est possible aussi, surtout si la chose se reproduit, qu'il perde à peu près complètement le goût de parler.

De même, un enfant qui reçoit une super-volée parce qu'il fouille dans les armoires peut cesser de fouiller non seulement dans les armoires... Sa curiosité naturelle peut s'éteindre presque complètement; il peut cesser toute activité exploratrice; il peut devenir peureux, sans initiatives et se replier complètement sur lui-même.

CERTAINES PUNITIONS SONT DES PIÈGES, EN CE SENS QU'ELLES CONTAMINENT DES ACTIVITÉS FORT DÉSIRABLES ET PARFOIS ESSENTIELLES AU DÉVELOPPEMENT DE L'ENFANT

Ainsi, par exemple, l'enfant qu'on punit sévèrement en lui faisant copier deux cent fois une même phrase peut se mettre à haïr les activités scolaires.

L'enfant qu'on punit régulièrement en l'envoyant se coucher va commencer à haïr se mettre au lit, le soir, ou faire la sieste l'après-midi.

L'enfant qu'on insulte régulièrement avec des phrases comme "Va laver tes mains, cochon!" ou "Si tu prenais ton bain aussi, tu sentirais moins puant!" va commencer à trouver pénible de se laver ou de prendre son bain.

L'ABUS DE LA PUNITION, SOUS TOUTES SES FORMES, PEUT CONDUIRE L'ENFANT À PRENDRE L'HABITUDE DE MENTIR ET DE MAL SE COMPORTER EN CACHETTE

L'enfant qui a peur des punitions abusives apprend souvent à mentir pour éviter d'être puni. Très souvent, aussi, il continue de mal agir, mais en cachette.

Il s'ensuit un cercle vicieux et une escalade. L'enfant ment; ses parents le surprennent à mentir et ils le punissent; l'enfant ment davantage et se cache pour mal agir; les parents le surveillent davantage et le punissent davantage lorsqu'ils le surprennent à mal faire; l'enfant se cache de mieux en mieux, ment de plus en plus et se comporte de plus en plus mal.

LES MESURES PUNITIVES EXCESSIVES PEUVENT RENDRE UN ENFANT ANORMALEMENT AGRESSIF. LA VIOLENCE ENGENDRE LA VIOLENCE.

Lorsqu'un enfant présente de graves difficultés du comportement, il y a plus de risques que les parents s'énervent, perdent patience et deviennent violents. Certains parents passent même à des excès: cris, insultes, provocations verbales, menaces de rejet, menaces de coups et de blessures, gifles, coups, bousculades, serrage et tordage de bras, isolement pendant des heures ou des jours, privations ou pertes de privilèges pouvant durer une semaine ou davantage.

L'enfant réagit en devenant nerveux, incontrôlable et violent envers les autres. Ce qui provoque davantage la violence des parents.

Pour rompre ce cercle vicieux, nous suggérons d'abandonner, une fois pour toutes, ces mesures violentes pour n'utiliser que des mesures calmantes. Lorsque l'enfant insulte, lance, brise, frappe ou pose d'autres gestes violents, les parents lui parlent doucement en lui demandant de se calmer et l'asseoient (sans le rudoyer) pendant quelques minutes. La crise écoulée, l'enfant est libre de se déplacer.

EN PUNISSANT, NOUS APPRENONS AUX ENFANTS À PUNIR

Sans s'en rendre compte, les parents servent de modèles pour leurs enfants. L'enfant imite naturellement ses parents. Quand ceux-ci emploient une méthode d'éducation positive, l'enfant apprend à utiliser des moyens positifs envers les autres, y compris envers ses parents.

Par contre, s'il a des parents punisseurs, il devient à l'égard des autres, y compris à l'égard de ses parents, un enfant punisseur. Il apprend, lui aussi, à utiliser les cris, les colères, les injures, les humiliations, les menaces, les paroles rejetantes, les blâmes et les coups pour obtenir ce qu'il désire ou pour se venger des frustrations qu'il subit. Il apprend à traiter les autres comme il est traité lui-même. Enfin, il risque aussi d'apprendre à se traiter lui-même de la même façon que ses parents le traitent, c'est-à-dire en se critiquant, en se dévalorisant et en se punissant lui-même.

QUAND UN MÊME COMPORTEMENT, DANS DES CIRCONSTANCES SEMBLABLES, EST PARFOIS PUNI ET PARFOIS ENCOURAGÉ, PARFOIS FORTEMENT APPROUVÉ ET PARFOIS DÉSAPPROUVÉ AVEC FORCE, L'ENFANT NE SAIT PLUS COMMENT SE COMPORTER, ET SA SANTÉ EST EN DANGER

Un exemple:

Liliane a 15 ans. Ses parents sont très inconstants. Parfois, son père l'encourage à sortir de la maison, à se faire des amis et à devenir indépendante. Il lui dit souvent: "Sors donc de ta coquille!" Parfois, il la critique: "Tu restes tout le temps à niaiser icitte au lieu de faire comme les autres filles de ton âge!" Parfois, il la ridiculise: "Enfin, vas-tu te déniaiser!"

La mère, au contraire, veut garder sa fille près d'elle à la maison, mais n'ose pas le dire ouvertement. Parfois, elle fait semblant d'être d'accord avec son mari; elle dit à Liliane: "Sors donc!", mais elle ne manque pas une occasion de décourager et de punir sa fille pour ses comportements d'indépendance. Quand Liliane se prépare pour une sortie, par exemple, sa mère la désapprouve fortement et la fait se sentir coupable en la boudant, ou encore en disant: "Tu me laisses encore toute seule; tu ne vois donc pas toute l'ouvrage qu'il me reste à faire!"

Elle se tourne vers son mari avec un air suppliant. Monsieur prend alors parti pour son épouse: "Tu pourrais pas aider ta mère! Tu ne vois donc pas qu'elle est malade!" Si, par bonheur, Liliane rencontre un garçon et fait une sortie avec lui, ses parents la ridiculisent: "Dis-moi pas que tu es sortie avec ce niaiseux-là!" ou "Tu pourrais pas en choisir un plus beau?". A un autre moment, les parents cajolent: "Nous, nous avons une bonne petite fille; elle ne sort jamais; elle aide sa mère au lieu de courailler!"

Un tel ensemble de blâmes, de désapprobations et d'encouragements contradictoires a conduit Liliane à manifester des troubles du comportement et des symptômes nerveux.

LES MESURES PUNITIVES PEUVENT AVOIR DES EFFETS OPPOSÉS OU CONTRAIRES AUX EFFETS RECHERCHÉS

Un événement, une parole ou un geste est considéré comme punitif uniquement si cet événement, cette parole ou ce geste a pour effet de diminuer la fréquence du comportement puni.

Or, en pratique, il arrive souvent que des "punitions" non seulement n'ont pas l'effet désiré, mais encore ont l'effet contraire. En fait, pour certains enfants, ce que des parents appellent des "punitions" sont des "récompenses" d'attention ou des encouragements à mal faire, puisqu'ils font augmenter la fréquence des comportements punis. Plus l'enfant est puni, critiqué, menacé et tapé, plus il se comporte mal.

Certains enfants, en effet, préfèrent que leurs parents leur donnent de l'attention, même si cette attention s'accompagne de tapes, de menaces, de critiques, de cris et de blâmes; ils préfèrent cet état de chose à la privation d'attention dont ils sont victimes quand ils se comportent bien et que leurs parents ignorent leurs bons comportements.

LES MESURES PUNITIVES PRODUISENT CHEZ L'ENFANT DES ÉMOTIONS NÉGATIVES, QUI, LORSQU'ELLES SONT TROP NOMBREUSES ET TROP INTENSES, GÂCHENT SA JOIE DE VIVRE

Les parents désirent généralement que leurs enfants soient des "individus bien dans leur peau". Ils souhaitent ardemment que leurs enfants ne soient pas envahis par des émotions de peur, d'anxiété, de panique, de préoccupations et d'inquiétudes continues, de honte, de culpabilité, de colère, de haine, de vengeance, de tristesse ou de dépression.

Peu d'entre eux, cependant, se rendent compte que ces émotions envahissantes originent, le plus souvent, dans l'abus des mesures punitives. C'est qu'ils considèrent l'enfant comme un être à dresser et à dompter, au lieu de le considérer comme un être à stimuler, à développer et à épanouir, à renforcer par l'encouragement et l'affection, à rendre de plus en plus conscient, compétent, intègre, responsable, sensible, capable de s'affirmer, ouvert aux autres, confiant en lui-même et positif envers la vie.

L'ABUS DES MESURES PUNITIVES PEUT CONDUIRE L'ENFANT AU DÉCOURAGEMENT, À L'ENNUI ET À L'OISIVETÉ

Les méthodes positives encouragent l'enfant dans tout ce qu'il entreprend. L'enfant devient alors entreprenant et inventif; il fait les choses par plaisir et presque sans effort. Il aime le travail et les loisirs. Le temps lui manque pour accomplir ses nombreux projets et entreprises de toutes sortes.

Les méthodes punitives, elles, on un effet direct sur le "moral" de l'enfant. Elles découragent l'enfant qui cesse alors toute activité d'exploration, de travail ou de loisir. Un tel enfant est souvent voué à l'ennui et à l'oisiveté.

Il est bien connu, par exemple, que l'absence d'encouragements suffisamment nombreux de la part du système scolaire, et l'utilisation de mesures punitives dans la classe conduisent un grand nombre d'enfants à abandonner l'école ou à cesser d'y être productifs.

On peut également conclure que l'absence d'encouragements à la maison et l'abus des mesures punitives éloignent les enfants de leurs parents et les mènent souvent au découragement, à l'ennui et à l'oisiveté.

Chapitre XII

— **La discipline** —

IL FAUT FORMULER SES RÈGLEMENTS ET SES DEMANDES D'UNE MANIÈRE CLAIRE ET POSITIVE

Exemples:

Il faut dire:

— *Les devoirs d'abord, la télévision ensuite.*

— *On se lave les mains avant chaque repas.*

— *Il te reste cinq minutes pour finir de déjeuner. Après, tu sors de table et tu vas te préparer pour l'école.*

— *Maintenant, va ranger ta chambre*

Et non:

— *Si tu ne fais pas tes devoirs, tu n'auras pas de télévision.*

— *Si tu ne laves pas tes mains, tu vas te passer de souper.*

— *Si tu ne te dépêches pas, tu vas manquer ton autobus. (Dire cela, c'est donner à l'enfant une bonne excuse pour rester à la maison).*

— *Si tu ne ranges pas tes affaires, je vais tout jeter ce qui traîne.*

S'il s'agit de demandes ou d'interdictions plus complexes, il faut s'assurer que les enfants en comprennent le sens.

Exemple:

— *"As-tu bien compris ce que je veux dire?... Qu'est-ce que je t'ai dit?"*

QUAND NOUS FAISONS UNE DÉFENSE À UN ENFANT, IL FAUT (QUAND C'EST POSSIBLE) LUI DONNER UNE SOLUTION DE RECHANGE POSITIVE

Exemples:

— *"Tu peux lancer ta balle sur le mur du garage, mais pas sur le toit de la maison."*

— *"Si tu veux t'amuser avec de l'eau, va dans le bain. Dans le salon, c'est interdit."*

— *"Arrêtez de sauter sur mon lit! Si vous voulez sauter, allez au sous-sol, il y a un vieux divan pour ça."*

— *"Donne-moi ce catalogue; j'en ai encore besoin. Prends plutôt cette revue et découpe tout ce que tu désires."*

— *"Dorénavant, quand tu voudras te servir d'un marteau, ne prends plus mon marteau neuf. Prends plutôt celui-ci; je te le donne."*

— *"Le sable est fait pour jouer, pas pour lancer à la figure des autres. Il y a des tas de façons intéressantes de jouer avec du sable; je vais t'en montrer quelques-unes."*

PRENONS GARDE DE NE PAS SABOTER NOUS-MÊMES NOTRE AUTORITÉ

Moins nous faisons de défenses, plus nous avons de chances d'être écoutés. Il faut s'en tenir à l'essentiel.

En faisant des défenses trop nombreuses, nous faisons en sorte que nos enfants désobéissent trop souvent. Nous sabotons notre autorité nous-mêmes.

Il faut éviter les défenses inutiles et les remarques empoisonnantes, telles:

Exemples:

— *"Arrête-toi de sautiller."*
— *"Assis-toi comme il faut."*
— *"Sers-toi donc de tes deux mains."*
— *"Sers-toi donc de ton couteau et de ta fourchette."*

— *"Parle pas en mangeant."*
— *"Tiens-toi tranquille."*
— *"Arrête donc de bouger comme ça."*
— *"Marche sur tes deux pieds."*
— *"Tiens-toi droit."*
— *"Mâche pas la bouche ouverte."*

La répétition des demandes, des avertissements et des défenses produit habituellement l'effet contraire à celui désiré.

Plus les parents disent et redisent "assis-toi", "reste tranquille", "mange donc", "dépêche-toi", "arrête-ça", "c'est assez", "ne fais pas ça", plus l'enfant se lève, s'agite, refuse de manger, lambine et désobéit. L'attention que lui dispensent ses parents "en répétant", l'encourage à s'opposer passivement, à refuser de collaborer, à s'agiter et à désobéir.

CE SONT LES CONSÉQUENCES QUI, FINALEMENT, CONTRÔLENT LES COMPORTEMENTS

Les suggestions et les demandes que font les parents aux enfants ne sont efficaces qu'à la condition que la collaboration de l'enfant soit assez souvent suivie de conséquences appropriées (approbation verbale ou gestuelle, encouragements verbaux, attention positive, encouragements matériels, paroles ou gestes affectueux).

De même, les avertissements et les défenses que servent les parents aux enfants ne sont efficaces que dans la mesure où les désobéissances sont toujours suivies de conséquences appropriées : obligation de satisfaire les exigences parentales (quand la chose est encore possible), désapprobation des parents, retrait de privilège, isolement bref, réparations, excuses, etc.

LA FAIBLESSE DES PARENTS ENGENDRE LA TYRANNIE DES ENFANTS

L'enfant a besoin d'être dirigé par ses parents. C'est pourquoi, les parents doivent assumer leur rôle d'autorité et résister à la tentation de faire de leur enfant "un ami" ou "un égal".

Les parents faibles ou mal informés conversent avec leur enfant comme avec un égal; pire encore, ils s'adressent à lui comme à une autorité. Ils se confient à lui, le consultent sur des sujets de compétence parentale, lui demandent des autorisations, négocient, parlementent et se justifient sans cesse avec lui, lui laissent prendre les décisions familiales.

L'enfant traité comme un prince ou une princesse, s'investit de l'autorité parentale et devient le "boss" dans la famille*. Bientôt, il dirige et bafoue ses parents, leur donne des ordres, les insulte, les menace, les exacerbe et les tyrannise. Il affiche généralement la même attitude à l'égard des frères et soeurs, des compagnons et compagnes de jeu, de même qu'avec les adultes de l'entourage.

* Cette situation de pouvoir est extrêmement angoissante pour un enfant. Cette angoisse s'exprime alors par des symptômes nerveux tels l'agitation, l'insomnie, les cauchemars, les phobies, les difficultés de concentration, les agressions verbales ou physiques.

IL EST NORMAL QU'UN ENFANT TESTE L'AUTORITÉ DE SES PARENTS; MAIS GARE AUX PARENTS QUI CÈDENT DEVANT LES CRISES DE L'ENFANT.

Lorsqu'il parvient à l'âge scolaire, l'enfant devrait avoir appris à se conformer aux règles sociales et à l'autorité qui les édicte.

Mais voilà, pendant toutes ces années, l'enfant peut aussi avoir appris à manipuler ses parents et à gagner sur eux. Il continuera alors à perfectionner ses tactiques pour éviter de se plier à leurs demandes : crise de colère, provocation de désaccords entre ses parents, bouderie, lenteur, discussion, négociation, accusation d'injustice, culpabilisation, larmes, injures, violence, destructivité, demande de délai additionnel, mensonge, fuite, etc.

Les parents inconstants diront qu'ils ont tout essayé (punitions, récompenses, promesses, supplications, menaces, négociations). Ils ont, en effet, tout essayé, sauf qu'ils ont oublié d'exiger simplement que leur enfant se conforme à leurs exigences raisonnables. L'enfant a découvert qu'il peut discuter, tergiverser, faire parler ses parents, marchander, gagner du temps et, finalement, gagner la partie. Il préfère même être puni plutôt que de se soumettre, car le sentiment d'être le plus fort est sa récompense. Il deviendra un tyran pour ses parents, à moins que ces derniers cessent de lui céder, de parlementer et de tout négocier avec lui.

SUPPLIER UN ENFANT DE BIEN SE COMPORTER FAIT AUGMENTER LE NOMBRE ET LA FORCE DE SES COMPORTEMENTS INDÉSIRABLES

Il faut éviter de supplier un enfant de bien se comporter, surtout au moment où il se comporte mal.

Exemples à éviter:
— *"Sois gentil, voyons, ne fais pas ça à ta maman!"*
— *"Je t'en prie, chérie, fais-moi plaisir, arrête de pleurnicher!"*
— *"Voyons chérie, sois gentille; tu es un amour de petite fille; tu vas cesser de faire la tannante... Je t'en supplie, ma chérie, arrête-toi!"*

De telles supplications sont des pots-de-vin. Elles sont des récompenses d'attention et d'affection données à l'enfant immédiatement après des comportements indésirables. C'est pourquoi, les supplications ont pour effet d'augmenter le nombre et la force de ces comportements indésirables.

LES PARENTS QUI SOUHAITENT FOURNIR À LEUR JEUNE ENFANT LES MEILLEURES POSSIBILITÉS DE SE DÉVELOPPER, DOIVENT MONTRER UNE GRANDE TOLÉRANCE

Le jeune enfant doit avoir l'occasion et l'autorisation de fouiller, déchirer du papier, se salir avec de la terre, jouer dans l'eau, grimper, crier, courir, sauter, culbuter, faire du bruit. Il ne faut lui défendre que les choses dangereuses, vraiment répréhensibles ou très incommodantes.

Pour lui, tous les objets de son environnement constituent des motifs de curiosité et offrent des possibilités d'exploration et de jeux passionnants. Tentures, meubles, lingerie, vêtements, papier, plantes, bibelots, casseroles, boîtes et autres articles ménagers peuvent être objets de sa convoitise. Face à trop d'interdictions, un enfant normal ne peut faire autrement que de passer outre à certaines défenses*. Les parents peuvent se méprendre sur les intentions de leur enfant. Ils peuvent croire que leur enfant agit dans le but de leur désobéir, alors que ce dernier poursuit des buts tout à fait différents, légitimes et appropriés à son âge.

Par exemple, le jeune enfant qui utilise les coussins du divan pour se construire un abri ou pour jouer ''à disparaître'', se cache derrière un meuble ou dans les draperies, fouille dans les armoires, prend des glissades ou fait des roulades sur le plancher, ou saute une marche d'escalier, ne devrait pas être qualifié de désobéissant.

* Nous ne prétendons pas que les parents doivent tout permettre, laisser tout briser et céder aux demandes déraisonnables des enfants. Bien au contraire; cependant, les interdictions devraient être limitées aux comportements qui sont vraiment dangereux, trop coûteux ou fort embêtants.

NOS RÈGLES ET NOS SANCTIONS DOIVENT TENIR COMPTE DE L'ÂGE DES ENFANTS ET DE LEUR NIVEAU DE DÉVELOPPEMENT

Des enfants de 1-5 ans sont tout à fait incapables de contrôler entièrement leur agressivité. Lorsqu'un enfant de cet âge mord ou frappe son frère ou sa soeur cadette, il est inutile de le raisonner ou de le punir avec sévérité pour avoir "désobéi" à nos défenses de mordre et de frapper. Il suffit alors d'arrêter l'enfant, de reformuler avec fermeté la même interdiction et de le retourner à ses jeux.

De même, nous ne pouvons toujours exiger des enfants une obéissance aveugle (sans explications), ni une obéissance immédiate (ex: quand un enfant est absorbé par une tâche, un jeu ou une activité intéressante).

Il faut aussi savoir qu'un certain degré d'opposition et d'affirmation de soi chez l'enfant est désirable. Lorsqu'un enfant dit "non", ou "je ne le ferai pas", ou "je le ferai même si tu me le défends", il n'est pas approprié de le gifler ni de le punir sur-le-champ. Sans changer notre consigne, nous pouvons dire à l'enfant que nous lui laissons quelque temps pour réfléchir et se plier à nos exigences.

Nos sanctions doivent aussi tenir compte des particularités de chaque enfant. Par exemple, nous éviterons de gronder et de punir l'enfant sensible et timide (qui commence à peine à s'affirmer et à exprimer son agressivité) qui échappe une injure à notre endroit ou refuse de nous obéir.

Les parents qui apprennent à donner de l'attention et des encouragements à leur enfant pour sa collaboration et son obéissance n'ont plus besoin de punir ni de répéter leurs demandes et leurs avertissements. Leur enfant leur obéit avec plaisir, les imite et leur demande volontiers permissions et conseils.

De plus, en regard du bien-être émotif de l'enfant, il vaut mieux que celui-ci apprenne à obéir à ses parents ''pour leur faire plaisir'' que ''parce qu'il les craint''.

IL FAUT S'ABSTENIR DE FAIRE DES DISCOURS AUX ENFANTS POUR JUSTIFIER NOS EXIGENCES

Il faut se contenter d'une **explication simple** proportionnée à l'âge de l'enfant. De préférence, il est bon de substituer autre chose pour compenser pour le déplaisir causé à l'enfant.

Exemples:
— "Donne-moi ce couteau, c'est trop dangereux. Tiens, prend ton toutou."
— "Descend de sur le toit, tu vas tomber. Si tu veux grimper, va dans le parc à côté."
— "Tu ne te baigneras pas aujourd'hui, c'est trop froid; viens plutôt avec moi, je vais chez l'épicier."
— "Ne tape pas ta soeur. Dis-lui plutôt pourquoi tu es fâché et dis-lui que tu aurais envie de la frapper, si tu ne te retenais pas."
— "Tu pourras aller au cinéma samedi, pas ce soir: demain tu vas à l'école."
— "Les murs ne sont pas faits pour écrire. Viens, je vais te donner du papier."

QUAND L'ENFANT SE CONDUIT MAL, IL FAUT DÉSAPPROUVER SEULEMENT SES MAUVAIS COMPORTEMENTS ET NON PAS LE BLÂMER LUI-MÊME COMME PERSONNE

Exemples:

Il faut dire: *"Je ne tolérerai pas que tu me voles de l'argent..."*

et non: *"Je ne tolérerai pas de* **voleur** *dans ma maison..."*

et non: **"Méchant garçon!** *Espèce de* **voleur!** *On ne fera jamais rien de bon avec toi!"*

Il faut dire: *"Je t'avais dit de descendre les poubelles ce matin: alors pas de sortie ce soir après souper."*

et non: *"Espèce de* **lâche,** *de* **fainéant,** *de* **flanc mou."**

et non: *"T'es rien qu'un* **paresseux."**

Quand nous traitons un enfant de "méchant", de "menteur" ou de "paresseux", nous détruisons sa fierté et son plaisir de vivre parce que nous attaquons sa personne.

Nous pouvons corriger tous les comportements indésirables des enfants sans nous en prendre à leur personne.

SELON LES CIRCONSTANCES, LES RÉPRIMANDES PEUVENT AVOIR DE BONS OU DE MAUVAIS EFFETS

Les recherches actuelles nous portent à croire qu'une réprimande ou une désapprobation faite privément, à voix basse et sans animosité excessive a bien des chances d'être efficace.

D'autre part, les recherches actuelles démontrent que les réprimandes et les désapprobations faites agressivement, d'une voix forte ou en public augmentent le nombre de comportements indésirables.

Il s'agit d'ailleurs d'un peu de bon sens pour s'apercevoir que crier publiquement des réprimandes aux enfants les rend nerveux, agités, apeurés, déçus, fanfarons ou agressifs, alors qu'une simple réprimande ou désapprobation faite privément, à voix basse, ne met pas les enfants dans ces états. Il faut dire aussi que, pour certains enfants qui aiment attirer l'attention à tout prix, une désapprobation faite en public équivaut à un encouragement à mal faire.

POUR RENFORCER LEURS RÈGLEMENTS, LES PARENTS DOIVENT AGIR PLUTÔT QUE DISCOURIR

Exemples:

— *Lorsqu'un parent commande à son enfant "maintenant, va serrer ton linge" ou "maintenant, va rentrer ta bicyclette", et que l'enfant ne répond pas, reste assis, cherche à obtenir un délai ou proteste, le parent (au lieu de moraliser, de supplier, de discuter, de blâmer ou de se justifier) prend l'enfant par le bras et l'escorte fermement, sans dire un mot, jusqu'à son linge ou sa bicyclette, et il s'assure que l'enfant exécute la tâche demandée avant de quitter les lieux. Ensuite, il le remercie sincèrement.*

— *Lorsqu'un enfant a pris l'habitude de rentrer en retard à la maison, le parent commande à l'enfant de rentrer, dorénavant, à l'heure fixée. Le parent refuse de se laisser entraîner dans une discussion avec l'enfant. Ce dernier peut chercher une excuse ou une justification; il peut argumenter en prétendant que le règlement est injuste puisque ses amis, eux, sont autorisés à rentrer plus tard. Le parent avisé ne discute pas. Il réaffirme son autorité en disant : "Quoi qu'il en soit, dorénavant tu entreras avant telle heure".*

Le lendemain, si l'enfant n'entre pas à l'heure dite, le parent va le chercher et lui impose une sanction raisonnable. Il répète cette intervention **chaque fois** *que l'enfant est en retard.*

— *Lorsqu'un enfant continue, après avertissement, à manquer des cours, à perturber la classe ou à agresser d'autres enfants à la récréation, le parent, après avoir pris entente avec les autorités scolaires, escorte l'enfant à l'école et l'accompagne toute une journée en classe, au gymnase et sur la cour de récréation pour l'inciter à travailler et à bien se comporter. Dorénavant, le parent utilisera la même stratégie* **chaque fois** *que l'enfant présentera des problèmes de comportement à l'école.*

Les **actions** "mauvaises" ou les comportements indésirables doivent être corrigés.

Mais les **sentiments** négatifs des enfants, comme leur colère, leur jalousie, leur peine et leur haine doivent être **verbalement exprimés,** c'est-à-dire mis dans des mots.

Il faut empêcher un enfant de **faire** des blessures corporelles à son frère, sa soeur ou ses parents, mais il faut permettre à un enfant de **dire** qu'il est fâché contre son père ou sa mère, qu'il a envie de frapper sa soeur, qu'il déteste le bébé ou qu'il a envie de **frapper** son père ou sa mère.

CONTRÔLER SES ACTES ET EXPRIMER SES SENTIMENTS

L'enfant doit apprendre à **contrôler** ses actes.

Il doit apprendre aussi à **exprimer** tous ses sentiments positifs (comme la joie et l'affection) et tous ses sentiments négatifs (comme la colère, la haine, la jalousie et la tristesse).

LES PARENTS DOIVENT MONTRER À LEUR ENFANT QU'ILS ACCEPTENT TOUS SES SENTIMENTS, Y COMPRIS SES SENTIMENTS NÉGATIFS*

Les parents peuvent aider leur enfant à exprimer ses sentiments négatifs.

Exemples:
— *"Tu as l'air fâché contre moi."*
— *"Parfois, tu aimerais mieux ne pas avoir de petit frère."*
— *"Tu dois m'en vouloir beaucoup."*
— *"Tu dois avoir le goût de te venger de lui."*
— *"Tu as l'air triste."*
— *"C'est dur de perdre son chat."*
— *"Tu peux pleurer un bon coup; ça va te faire du bien."*

* Il s'agit là d'une notion nouvelle. Nous n'avons pas, pour la plupart d'entre nous, été élevés de cette façon et il nous est difficile de montrer de la compréhension à nos enfants quand ceux-ci éprouvent des sentiments de haine, de jalousie ou de tristesse.

IL FAUT DONNER À L'ENFANT LA POSSIBILITÉ D'EXPRIMER SA DÉCEPTION ET SA COLÈRE CONTRE NOS EXIGENCES

Il ne s'agit pas ici de tolérer les insultes, mais de permettre l'expression légitime et civilisée des sentiments négatifs. Nous pouvons aider l'enfant à dire sa déception ou sa colère contre nos exigences.

Exemples:
— *"Tu aurais aimé que je t'achète un cheval."*
— *"Tu es déçue de ne pouvoir aller au cinéma."*
— *"Je comprends que tu sois fâchée après moi parce que je ne veux pas te permettre de fumer avant tes 15 ans."*

SEULE VOTRE CONSTANCE À FAIRE RESPECTER VOS RÈGLEMENTS PEUT RENDRE VOTRE AUTORITÉ CRÉDIBLE

Si vous n'êtes pas prêts à faire ce qu'il faut pour que vos demandes soient exécutées et que vos défenses soient respectées, votre autorité perdra toute crédibilité.

Si, par exemple, vous vous surprenez à dire deux fois à votre enfant de venir vous aider à faire la vaiselle, c'est que, la première fois, vous n'avez pas fait ce qu'il faut pour l'y obliger. Votre enfant sait déjà, par expérience, que, la moitié du temps, il peut ignorer ce que vous lui dites. De toute évidence, puisqu'il n'est pas obligé d'obéir immédiatement, il va continuer à vous tester dans l'espoir de gagner du temps ou encore d'éviter cette corvée.

Au lieu de lui répéter une deuxième fois de venir vous aider, il aurait été plus efficace d'aller le chercher immédiatement après la première fois en le prenant par le bras et en le dirigeant (sans discourir) vers l'évier de la cuisine.

Chapitre XIII

Les conseils et les exhortations

SOUVENT, IL VAUT MIEUX NOUS ABSTENIR DE DONNER DES CONSEILS AUX ENFANTS, DE LEUR FAIRE DES SUGGESTIONS OU DE LEUR DONNER DES AVERTISSEMENTS

L'enfant est comme nous. Quand nous pensons savoir quoi faire, quand le faire et comment le faire, nous n'aimons pas que quelqu'un d'autre vienne nous donner ses conseils et ses suggestions. Cela nous choque et nous vexe. Nous nous disons alors en nous-même: "Me prend-il pour une nouille?"

Lorsque les parents interviennent dans presque toutes les activités de l'enfant pour critiquer sa façon de faire, ou s'immiscent dans son travail, ses jeux, ses constructions ou ses créations pour lui montrer comment faire, lui faire des suggestions, l'aider ou le prévenir contre d'éventuelles erreurs, l'enfant en déduit que ce qu'il fait n'est pas correct et n'a pas de valeur. Il éprouve le sentiment d'être stupide, malhabile et incompétent.

Les sentiments d'incompétence, d'impuissance et d'incapacité qui ont ainsi été inculqués en lui, en feront éventuellement un être aux tendances dépressives, une personne manquant de confiance et de motivation, une personne privée des satisfactions et des plaisirs résultant normalement de ses activités et de ses réalisations.

Les enfants perçoivent souvent nos interventions comme des intrusions dans leurs affaires.

Comme nous, cependant, ils savent, à l'occasion, accepter les suggestions, l'aide et les conseils d'autrui quand la personne qui les offre sait le faire avec tact et respect.

Exemples:
— *"As-tu besoin d'aide?"*

— *"Je vois que tu as de la misère... Veux-tu un coup de main ou préfères-tu en venir à bout tout seul?"*

— *"Veux-tu que je te montre comment faire ou si tu préfères trouver toi-même la solution?"*

— *"As-tu besoin d'un conseil?"*

— *"Veux-tu mon opinion?"*

PRÉVENIR QUAND C'EST VRAIMENT NÉCESSAIRE. EXPLIQUER CALMEMENT LE POURQUOI DE SES MISES EN GARDE. ÉVITER DE CRITIQUER, D'INJURIER ET DE BLÂMER

A cause de son inexpérience, l'enfant a besoin d'être prévenu contre les dangers qu'il court de manière à pouvoir les éviter.

Exemples:

— *"Regarde bien des deux côtés avant de traverser la rue. J'ai toujours peur que tu aies un accident."*

— *"Ne vas pas jouer sur le lac; la glace est encore trop mince; tu pourrais te noyer".*

— *"Je te défends de prendre ma scie électrique: c'est trop dangereux."*

Malheureusement, lorsque le danger est imminent, il peut arriver que nous perdions contrôle et laissions échapper des injures, des blâmes et des critiques.

Exemples à éviter:

— *"Maudit niaiseux! Tu vois pas que tu pourrais blesser ton petit frère!"*

— *"S'il t'arrive quelque chose, je t'aurai prévenu; ce sera tant pis pour toi!"*

— *"Tu ne pourrais pas faire attention! Tu ne vois pas que c'est dangereux ce que tu fais là!"*

Lorsqu'il nous arrive de critiquer ainsi ou de dire des paroles blessantes, nous devons nous excuser en invoquant les circonstances atténuantes.

Exemples:

— *"Je m'excuse pour tantôt... de t'avoir traité de niaiseux; si tu savais comme j'ai eu peur que tu blesses ton frère".*

— *"Tout à l'heure, j'ai manqué de délicatesse. J'étais tellement fâché que j'ai dépassé ma pensée. Je sais bien que tu ne feras pas exprès pour te blesser."*

L'enfant n'a ni nos connaissances, ni notre expérience, ni notre capacité d'attention, ni notre persévérance. Il nous faut nous attendre à ce qu'il fasse des erreurs et des bévues, que ses travaux manquent de finition, qu'il gaspille ou brise parfois du matériel coûteux. Il nous faut aussi lui donner le temps d'apprendre et de progresser graduellement dans ses apprentissages. Cela nous demande beaucoup de tolérance et de contrôle de nous-mêmes. Il est très important de garder notre calme afin de ne pas décourager l'enfant par des critiques, des blâmes ou des injures.

Exemples:

— *"Tu as brisé mon magnétophone... Je t'avais pourtant dit de ne pas l'utiliser. Ca se répare, bien sûr, mais c'est bien ennuyeux pour moi!... Est-ce que tu pourrais te charger d'aller le faire réparer au plus tôt?*

— *"Ne t'y prends pas de cette façon! Tu vas le briser!... Je vais te montrer comment faire."*

— *"Si tu veux mon opinion, je trouve que ton plat n'est pas tout à fait terminé. Il lui manque encore pas mal de sablage. Ca te prendrait un papier plus fin que celui-là pour la finition. Si tu veux une pièce parfaite, je pense que ça vaut la peine de travailler encore dessus, même si c'est un peu long."*

EN RÉPÉTANT SANS CESSE LEURS CONSEILS ET LEURS EXHORTATIONS, LES PARENTS SE JOUENT SOUVENT DE MAUVAIS TOURS

Les conseils et les exhortations sans cesse répétés ne sont souvent que des récompenses d'attention données pour des habitudes ou des comportements indésirables.

Un exemple:
André est un garçon timide, renfermé et peu débrouillard. Il ne sait pas jouer avec les autres enfants. Lorsqu'il est en présence de d'autres enfants, il se retire dans un coin. Il refuse aussi d'entrer seul dans les magasins ou les restaurants ou chez les voisins pour faire des commissions parce que, supposément, il est trop gêné.

Ses parents sont très préoccupés par ce problème. Ils en parlent très très souvent à André et à tout le monde (parenté, voisins, amis et connaissances) dans l'espoir de trouver des solutions. André est comblé par l'attention que ses parents lui donnent et par les nombreux conseils et exhortations qu'ils lui font. Il devient de plus en plus timide et peureux, et de moins en moins débrouillard.

S'il arrive que ses parents lui donnent de l'argent de poche pour s'acheter des livres ou du chocolat, il refuse d'aller au restaurant du coin ou à la librairie, en prétextant qu'il est trop gêné. Alors, ses parents se désolent et disent bien haut leurs inquiétudes et leur désespoir. Ils exhortent André à se rendre au restaurant ou à la librairie; ils le supplient d'apprendre enfin à se débrouiller. Rien n'y fait. André refuse de bouger.

Cependant, la mère continue d'acheter régulièrement du chocolat pour son fils André, et le père continue d'aller régulièrement à la librairie pour lui acheter les livres qu'il désire.

Brève analyse du problème d'André:

La timidité d'André, quelle que soient les causes multiples qui l'ont façonnée, est maintenue présentement par les attentions des parents, leurs conseils et leurs exhortations. Ces attentions et ces exhortations à la débrouillardise ont l'effet opposé à celui que désirent les parents. Elles encouragent André dans son comportement d'enfant timide et peu débrouillard.

Une autre erreur des parents, et vous l'aurez reconnue, c'est d'aller acheter des livres et du chocolat pour André. En effet, André adore les livres et le chocolat et, si ses parents savaient attendre assez longtemps, André déciderait d'aller lui-même s'en chercher.

Solutions au problème d'André:

— *Les parents doivent cesser d'exhorter André, de lui donner des conseils, de parler de son problème et de lui donner des attentions quand il se montre timide, renfermé, peureux et peu débrouillard.*

— *Les parents devront attendre qu'André fasse de petits gestes de débrouillardise, qu'il aille vers d'autres enfants (même pour quelques secondes), qu'il se risque à adresser la parole à quelqu'un ou qu'il entre seul dans un magasin pour l'encourager et le féliciter chaleureusement pour ses petits progrès. Bref, les parents devront donner à André des attentions pour ses comportements désirables de débrouillardise au lieu de les lui donner pour ses comportements indésirables de retrait et de timidité.*

— *Les parents devront aussi savoir attendre (peut-être pendant plusieurs jours) que la privation de livres et de chocolat, et des autres choses désirables ou nécessaires à André, puisse faire son effet, c'est-à-dire que cette privation pousse André à entrer au restaurant, à l'épicerie, à la librairie ou ailleurs pour se procurer les articles qu'il désire. Les parents et les autres membres de la famille pourront alors le féliciter et l'encourager pour ses progrès.*

UN AUTRE EXEMPLE D'ATTENTIONS ET D'EXHORTATIONS ABUSIVES

Marcel a 10 ans. Il est très maigre et n'a pas d'appétit. Ses parents l'ont amené voir des médecins plusieurs fois pour tâcher de résoudre ce problème, mais sans succès. Plusieurs pilules et toniques ont été mis à l'épreuve, mais n'ont rien changé au problème de Marcel.

La plupart du temps, Marcel mange très peu et avec une grande lenteur. Il se plaint continuellement de ne pas avoir faim et, très souvent, refuse carrément de manger. Sa mère est au désespoir. Depuis plusieurs années, elle se morfond, repas après repas, à demander à Marcel: "Qu'est-ce que tu veux manger, ce matin, mon chou?", "Qu'est-ce que tu voudrais que je te fasse pour dîner?" et "Que désires-tu pour souper, chéri?".

Pendant toute la durée du repas, toute l'attention de la mère et du reste de la famille va à Marcel. Mangera-t-il? Ne mangera-t-il pas? Tous les yeux sont braqués sur lui. La mère et les autres membres de la famille exhortent Marcel à manger pour son bien et sa santé; ils le menacent des pires maladies s'il ne mange pas; ils le supplient de manger encore un peu plus. Le frère aîné traite souvent Marcel de "gueule fine" et de "cure-dent". Lorsqu'il vient de la visite à la maison, le problème de Marcel refait toujours surface et devient le centre de la conversation. Les bons conseils et les exhortations pleuvent de toutes parts sur Marcel.

Brève analyse du problème:
Quelles que soient les causes qui ont donné naissance au problème de Marcel, il n'en reste pas moins que son refus de manger est présentement encouragé par l'attention et les exhortations de toute la famille.

Les exhortations à manger, les conseils et les supplications ont exactement l'effet contraire à celui désiré. Ils sont, à proprement parler, des pots-de-vin, c'est-à-dire des récompenses à un comportement indésirable, celui de refuser la nourriture.

Solutions proposées:

— *Tous les membres de la famille devront apprendre à ignorer totalement Marcel quand il refuse verbalement la nourriture, ou encore quand il s'asseoit passivement, sans manger, devant son assiette.*

— *La mère et les autres membres de la famille devront cesser d'exhorter Marcel à manger, de lui faire des remarques, des menaces ou des taquineries en rapport avec ses refus de nourriture.*

— *La mère devra cesser de lui préparer des plats spéciaux et de lui demander ce qu'il désire manger au repas.*

— *Au lieu de donner de l'attention à Marcel pour ses refus de nourriture, la famille donnera de l'attention à Marcel pour ses petits progrès dans l'absorption de nourriture. Cette attention prendra la forme d'une conversation intéressante et chaleureuse avec lui* **pendant** *qu'il mange. Lorsque, au cours du repas, Marcel cesse de manger ou refuse de manger, les membres de la famille doivent cesser de le regarder et de converser avec lui. Ils doivent l'ignorer jusqu'au moment où il recommence à manger.*

— *De plus, comme Marcel adore faire du "Go-Kart", son père convient avec lui que pour chaque kilo de poids gagné au cours des quatre prochaines semaines, il gagnera 30 minutes de "Go-Kart". Chaque fois que Marcel fera un gain de poids d'un kilo, il aura droit aux félicitations enthousiastes de toute la famille et à son tour de "Go-Kart" le jour même si possible.*

Chapitre XIV

La politesse, le respect du droit d'autrui et le respect du bien commun

Pour enseigner le respect aux enfants, il faut d'abord leur parler avec respect.

Quand l'enfant dit des injures, nous devons d'abord désapprouver ses paroles injurieuses et lui enseigner poliment la manière civilisée d'exprimer sa colère.

Exemples:
— *"Je ne tolérerai pas que tu me traites de "vache"; dis-moi que tu es fâché après moi ou que tu aurais envie de me frapper ou que tu me hais, mais pas d'insultes!"*
— *"Tu ne devrais plus traiter ton petit ami de stupide, ni de niaiseux. C'est trop blessant. Dis-lui plutôt pourquoi tu es fâché contre lui."*

Quand l'enfant persiste à dire des injures malgré nos enseignements et nos avertissements nous devons alors le punir par quelques minutes d'isolement ou par un retrait de privilège.

Exemple:
— *"Qu'est-ce que je t'ai dit au sujet des insultes?... Deux minutes de réflexion dans ta ta chambre!"*

SOYONS POLIS AVEC NOS ENFANTS

Il n'est pas possible d'enseigner la politesse aux enfants en les traitant (d'une manière impolie) de polisson, de mal élevé ou de sauvage.

La critique intempestive et l'humiliation n'enseignent que très rarement les bonnes maniè-res. Elles enseignent d'abord la haine, le retrait, la non-confiance et elles font naître des désirs de vengeance.

NOUS DEVONS ÉVITER DE FAIRE LA LEÇON AUX ENFANTS EN PRÉSENCE D'AMIS, DE VOISINS OU DES PERSONNES DE LA PARENTÉ

Nous manquons de politesse à l'égard de nos enfants quand nous leur donnons des leçons de politesse devant des invités.

La meilleure façon d'enseigner la politesse aux enfants est d'être soi-même poli avec tout le monde, y compris avec les enfants.

Une autre façon consiste à approuver, féliciter ou encourager les enfants quand ils sont polis. Au début, il faut approuver et féliciter l'enfant chaque fois qu'il est poli; mais, une fois que l'enfant a acquis l'habitude de la politesse, il suffit de lui montrer notre approbation de temps en temps pour ses paroles et ses comportements polis.

Un exemple

Des parents veulent enseigner la politesse à leur fille de 6 ans, Josée, qui est très impolie.

Ils ont noté que, récemment, Josée a demandé d'avoir plus de vêtements pour ses poupées.

En accord avec son mari, la mère de Josée propose à celle-ci de lui confectionner un vêtement de son choix pour ses poupées chaque fois que celle-ci aura gagné 20 points pour avoir été polie. Josée accepte avec empressement.

La mère prépare pour Josée une feuille comportant 20 carreaux, feuille qu'elle place bien en vue dans la cuisine.

Chaque fois que Josée est polie, ses parents la **félicitent** et ils inscrivent immédiatement un X dans un carreau.

Lorsque tous les carreaux sont remplis, Josée reçoit le vêtement promis.

Quand Josée est impolie, les parents ne passent aucune remarque ni critique; mais, ils ignorent Josée en refusant de la regarder et de lui parler pendant deux minutes.

Surtout, les parents donnent le bon exemple en étant polis entre eux et avec Josée.

Quand Josée aura bien acquis l'habitude de la politesse, les parents pourront cesser ce système de points, mais ils continueront de féliciter Josée, de temps en temps, pour ses comportements polis.

DESSIN OU COLLAGE du vêtement que Josée veut gagner		POLITESSE		

Note: Les parents peuvent demander à Josée de dessiner ou encore de découper (dans une revue ou un journal) et de coller le vêtement de son choix au haut de la feuille. Quand Josée est polie, ils peuvent aussi lui demander d'aller inscrire elle-même un X dans un carreau.

OUTRE LA POLITESSE, NOUS DEVONS ENSEIGNER AUX ENFANTS LE RESPECT DES DROITS D'AUTRUI ET LE RESPECT DU BIEN COMMUN

A cette fin, nos demandes et nos défenses devront être claires et précises.

Exemples:

— *"Voudrais-tu baisser le volume de la télé. Il est encore très tôt et nous risquons de déranger le sommeil des voisins."*

— *"J'ai remarqué hier que tu as brûlé un feu rouge alors que tu étais à bicyclette. Je ne suis pas d'accord. Les règlements sont faits pour nous protéger et protéger les autres. Ils doivent être respectés."*

— *"Je ne veux plus que tu prennes de fleurs dans le parc. Ces fleurs appartiennent à tout le monde. Elles sont là pour être regardées. Personne n'a le droit d'y toucher."*

— *"Voudrais-tu ramasser les morceaux de la bouteille que tu as cassée? Nous ne pouvons laisser ça ici; ça risque de blesser quelqu'un et ça pollue l'environnement."*

— *"Il ne faut pas jeter ses papiers dans la rue. C'est un manque de respect pour les autres."*

L'EXEMPLE VAUT MIEUX QUE MILLE PAROLES

Pour enseigner le respect des droits d'autrui et le respect de bien commun, il nous faudra aussi donner l'exemple. Sans cela, nos paroles seront inutiles.

Nous devrons encore éviter de mêler à nos enseignements le vinaigre de nos reproches hostiles et de nos critiques destructives.

A l'occasion, nous devrons encourager par notre **approbation** les enfants pour leurs comportements appropriés.

Exemples:
— *"Je remarque que tu ne jettes plus tes papiers dans la rue. Je te félicite!"*
— *"Je vois que tu fais attention de ne pas déranger les voisins. C'est très bien ça! C'est très délicat de ta part!"*

Chapitre XV

Le mensonge et le vol

À L'OCCASION, IL ARRIVE À TOUT ENFANT DE MENTIR ET DE VOLER

Les parents avisés savent utiliser ces occasions pour enseigner à leurs enfants la franchise et l'honnêteté.

Sachez cependant que, jusqu'à l'âge de 3-4 ans, un enfant ne comprend pas généralement ce qu'est mentir ou voler. Vers l'âge de 5-6 ans, il devient capable de mentir pour obtenir ce qu'il désire ou éviter une punition.

Si votre enfant vous semble en train de prendre l'habitude de mentir et de voler, examinez les points suivants :

1- En mentant, votre enfant vous imite-t-il ?

2- Le mensonge n'est-il pour lui qu'un moyen pour échapper au travail ou aux responsabilités ? (Dans ce cas, nous vous suggérons d'examiner attentivement toutes les autres façons utilisées par votre enfant pour vous manipuler. Voir p. 158).

3- Votre enfant ment-il uniquement pour éviter les punitions trop sévères ? (Si oui, efforcez-vous de créer un climat où l'enfant n'aura plus peur de vous dire la vérité).

4- Votre enfant vole-t-il et ment-il parce qu'il éprouve le sentiment que vous le négligez, ou encore que vous favorisez injustement son frère ou sa sœur ? (Si votre enfant se sent négligé, consacrez-lui chaque jour quinze minutes de votre temps pour converser, jouer ou faire avec lui une activité agréable. Par contre, s'il s'avère que vous êtes injustes envers lui, prenez les moyens qui s'imposent pour corriger cette situation).

IL FAUT ÉVITER DE TRAITER L'ENFANT DE MENTEUR OU DE VOLEUR

Cela porte un coup trop dur à l'image qu'il se fait de lui-même. L'enfant se sent découragé et hostile. Il en conclut que ses parents lui retirent définitivement toute confiance. Alors, il n'a plus envie de se corriger.

À quoi bon, se dit-il, mes parents ne m'aiment plus.

De même, les parents doivent éviter les punitions excessives. Un tel procédé comporte toujours le risque que l'enfant, voulant justement éviter ce genre de punition, mente encore davantage.

Il vaut mieux susciter chez l'enfant le désir de réparer. Lorsque l'enfant choisit un mode de réparation raisonnable, par exemple présenter des excuses à la personne concernée en rectifiant les faits, en remboursant l'argent ou en remettant l'objet volé, les parents s'assurent que l'enfant s'exécute.

Lorsqu'il lui est impossible de remettre ou de rembourser le produit de son vol, les parents le lui enlèvent, le détruisent ou le donnent à une organisation charitable, de sorte que l'enfant n'en retire aucun avantage.

POUR SE CORRIGER DE L'HABITUDE DE VOLER, L'ENFANT A BESOIN D'UNE SURVEILLANCE TRÈS ÉTROITE

Si votre enfant a pris l'habitude de voler et que vous voulez l'aider à s'en départir, vous devrez d'abord vous assurer de toujours savoir où il est, avec qui il est et ce qu'il fait. Exigez de lui qu'il vous tienne au courant de tous ses déplacements en vous fournissant les noms, adresses et numéros de téléphone. Vérifiez constamment ces données. Ne lui permettez pas de fréquenter des lieux et des compagnons indésirables. S'il vous ment sur ses allées et venues, ne le laissez plus sortir sans l'accompagner ou le faire accompagner. Procurez-lui des activités intéressantes (sportives, instructives, sociales, culturelles, ou autres) sous la supervision d'adultes responsables.

Contactez l'école et assurez-vous d'être avisés si votre enfant arrive en retard, manque des cours ou commet des vols. Lorsque ses déplacements pour se rendre à l'école ou en revenir posent problème, n'hésitez pas à l'accompagner ou le faire accompagner par un adulte responsable.

Confisquez tout ce que l'enfant dit avoir "trouvé", "échangé", "emprunté" ou "gagné", à moins d'avoir pu vérifier l'exactitude de ces affirmations. Maintenez cette surveillance étroite aussi longtemps que vous n'aurez pas acquis la certitude que votre enfant ne vole plus.

ENSEIGNER LA FRANCHISE ET L'HONNÊTETÉ PAR L'EXEMPLE ET LES ENCOURAGEMENTS

La meilleure façon d'enseigner à son enfant la franchise et l'honnêteté, c'est de lui donner l'exemple en étant soi-même honnête en paroles et en actions.

Les parents peuvent aussi encourager leur enfant à être franc et honnête en montrant leur **approbation** pour ses paroles franches et ses comportements honnêtes.

Exemples:
— *"Merci de m'avoir remis cet argent. C'est un geste honnête que j'apprécie."*
— *"Je suis content que tu m'aies dit la vérité. Je suis très fier de toi."*

Les parents mettent aussi en relief les avantages de la franchise et de l'honnêteté, de même que les désavantages du vol et du mensonge.

Exemples:
— *"Tu dois apprendre à dire la vérité, et cela dans ton propre intérêt..."*
— *"Si tu désires que les gens gardent confiance en toi, il te faut être franc et honnête".*
— *"Tu ne peux pas voler ou mentir, puis être content de toi".*
— *"Le plaisir de voler ne dure pas; ensuite, c'est toi qui es mécontente de toi".*

Il faut éviter de poser des questions qui invitent l'enfant à mentir ou à avouer ses torts. Il faut éviter de faire le détective.

Il ne faut pas dire:
— *"Est-ce que c'est toi qui a pris l'argent sur le bureau?" (quand on est certain que c'est lui).*
— *"Voudrais-tu me montrer ton cerf-volant?" (quand on l'a vu suspendu à un fil téléphonique).*
— *"Où est ta petite voiture? (quand on sait qu'elle est en morceaux).*
— *"Est-ce que ça bien été à l'école aujourd'hui?" (quand le professeur nous a téléphoné pour se plaindre de l'enfant).*

Il faut aller droit au but et dire:
— *"Viens ici et vide tes poches."*
— *"J'ai vu ton cerf-volant accroché au fil de téléphone et je t'avais prévenu à ce sujet."*
— *"J'ai vu que tu as déjà brisé ta petite voiture."*
— *"Ton professeur m'a téléphoné aujourd'hui. Il n'était pas content du tout..."*

Chapitre XVI

Comment lever les enfants

L'ENFANT AIME SORTIR DU LIT LORSQUE LE RÉVEIL S'ACCOMPAGNE DE CONSÉQUENCES POSITIVES

Le lever sera plus facile lorsque l'enfant a pu dormir suffisamment. D'où l'importance de le mettre au lit assez tôt, si l'on veut qu'il se lève de bonne heure et de bonne humeur.

Le réveil doit aussi s'effectuer dans des circonstances favorables. Certains parents ouvrent la radio à volume réduit pour aider l'enfant à sortir de son sommeil. La bonne humeur du parent et l'accueil fait à l'enfant qui s'éveille l'aident à se lever.

Exemples:
— *"Lève toi! Il fait beau soleil ce matin!"*
— *"Lève toi; je vais te préparer un bon déjeuner!"*

Le parent qui fait suivre le réveil de l'enfant par un geste affectueux, une parole bienveillante, un sourire accueillant ou un événement agréable (ex: un bon déjeuner pris dans un climat affectueux), aide l'enfant à commencer la journée du bon pied.

Par ailleurs, l'enfant qui, pour premier bonjour, se fait crier dans les oreilles; celui dont le réveil est accueilli avec indifférence ou mauvaise humeur; celui qui se fait blâmer parce qu'il s'est couché trop tard; celui qui se fait traiter de paresseux, critiquer ou harceler au sortir du lit: celui-là prendra l'habitude d'être maussade à son réveil et il détestera sortir de son lit.

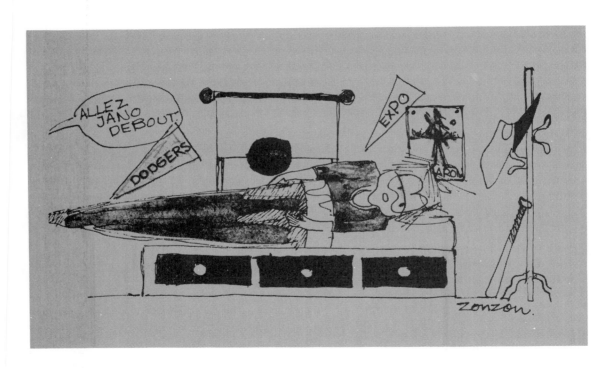

L'ENFANT QUI ÉPROUVE DE LA DIFFICULTÉ À SE LEVER PEUT ÊTRE AIDÉ DE PLUSIEURS FAÇONS

Il se peut que l'enfant manque de sommeil et qu'il suffise de le mettre au lit un peu plus tôt.

L'enfant d'âge scolaire peut parfois, par son opposition à se lever, nous signaler qu'il vit des problèmes à l'école ou à la maison. Nous pouvons alors nous enquérir de ses difficultés, l'écouter avec bienveillance et l'aider à les surmonter.

Dès que l'enfant sait déchiffrer l'heure sur un cadran, ses parents l'encouragent à utiliser un réveil-matin. Se lever devient alors sa responsabilité. Les parents peuvent aussi aider l'enfant en instaurant un système de points (étoiles ou autres signes de succès) donnant accès à de petites récompenses matérielles (Voir p. 188-189, 327-328). Quand l'enfant ne se lève pas à temps, le parent peut décider de lui laisser subir les conséquences de son retard. Par exemple, l'enfant devra prendre l'autobus sans avoir eu le temps de déjeuner; ou encore, il devra essuyer les remarques de l'institutrice ou de la directrice de l'école ainsi que les retenues.

Par contre, lorsque le refus de se lever s'inscrit dans un contexte général d'opposition à l'effort chez un enfant gâté, le parent aborde le problème du lever comme un problème d'indiscipline. Chaque matin, lorsque sonne le réveil, le parent se rend auprès de l'enfant, lui dit bonjour et lui commande **une seule fois** de se lever. Si l'enfant n'obéit pas dans les minutes qui suivent, le parent, sans parler, prend l'enfant par le bras et, avec calme et fermeté, l'aide à se lever.

Chapitre XVII

L'habillage, le déjeuner et le départ pour l'école

Exemples:

— *"Fais attention aux autos en traversant la rue."*
— *"Amuse-toi pas en chemin."*
— *"Dépêche-toi pour ne pas être en retard."*
— *"Arrive pas trop tard pour dîner."*
— *"Fais la bonne fille."*
— *"Sois pas tannant."*
— *"Écoute la maîtresse."*
— *"Applique-toi bien."*

- *"Perds pas ton sac, là."*
- *"Fais attention pour pas te salir."*
- *"Fais attention de prendre le rhume."*
- *"Joue pas dans l'eau en t'en allant."*

Il est plus efficace de dire: "Je t'attends à trois heures", que de dire: "ne traîne pas après la classe."

Si l'enfant est en train d'oublier un livre ou son crayon ou sa gomme à effacer, ou ses lunettes ou son argent ou sa collation, il faut lui remettre simplement l'article qu'il est train d'oublier et lui souhaiter une bonne journée.

Il faut alors éviter de le critiquer pour son oubli et de jouer au détective en disant, par exemple: "Avec quoi tu vas effacer ou écrire aujourd'hui?"

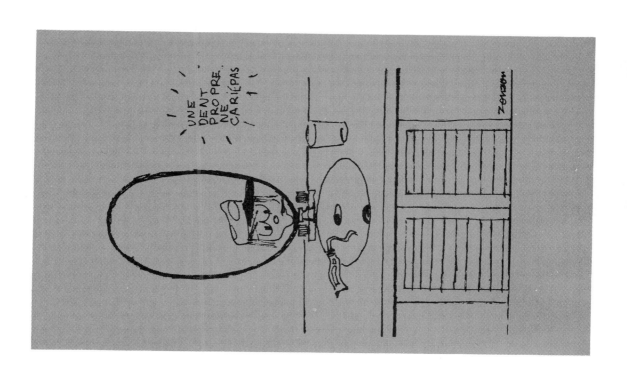

L'HABILLAGE ET LE DÉJEUNER PEUVENT SE FAIRE SANS CRIER

Quand l'enfant fait sa toilette, s'habille et prend son déjeuner, il faut éviter de le harceler avec des remarques comme celles-ci: - "Dépêche-toi à t'habiller", - "Lave tes oreilles", - "Attache tes souliers", - "Boutonne-toi", - "Assis-toi pour manger", - "Tu manges comme un cochon", etc...

S'il n'a pas faim, ne le forçons pas à prendre un gros déjeuner. Exigeons un minimum: - *"Tu prends un jus d'orange ou un verre de lait"*, - *"Tu prends des céréales ou une rôtie"*. Nous pouvons, en plus, lui donner un fruit de son choix qu'il pourra manger pendant la récréation.

Quand l'enfant est lent ou trop dépendant, il faut devancer l'heure du lever afin de pouvoir exiger ensuite que l'enfant s'habille tout seul et prenne son déjeuner avant de partir pour l'école.

Chaque matin, le départ de l'enfant ou de l'adolescent pour l'école devrait donner lieu à un échange affectif fait de contacts physiques (accolade, étreinte, bec sur la joue, tape amicale, etc.) et de paroles affectueuses.

Exemples:
— *"Bonne journée petite vermine! Je t'aime bien!"* - *"Moi aussi, M'man!"*
— *"Bonjour gamine! A ce soir! Je t'attends à 15.00 heures."* - *"Salut! A ce soir!"*
— *"Je t'aime bien, tu sais!"* - *"Moi aussi, je t'aime bien!"*
— *"Salut Fiston! Reviens-moi avec tous tes morceaux!"* - *"Toi aussi Pa, fais attention à toi!"*

Chapitre XVIII

Le retour de l'école

UN ACCUEIL AFFECTUEUX

Au retour de l'école, l'enfant ou l'adolescent doit recevoir un accueil chaleureux de la part de tous les membres de la famille qui sont dans la maison.

Un échange af'ectif fait de contacts physiques (étreinte, embrassement, bec sur la joue, etc.) et de paroles affectueuses est encore le meilleur moyen pour tous les membres de la famille de renouer contact ensemble.

Exemples:
— *"Je suis contente de te revoir!"* - *"Moi aussi M'man!"*
— *"Salut Fiston! Tu as passé une bonne journée?"* - *"Pas mal... Et toi, Pa?"*
— *"Bonjour Frèrot!"* - *"Salut Soeurette!"*

ÉVITER LES QUESTIONS TATILLONNES

L'enfant qui revient de l'école est souvent fatigué. Il n'a pas toujours envie de raconter sa journée immédiatement.

Il faut alors éviter de l'ennuyer avec des questions tatillonnes. Il est plutôt souhaitable de se limiter à une seule question ou remarque générale, et ne pas insister pour obtenir une réponse détaillée et immédiate.

Exemples de bonnes questions ou remarques:
— *"Ça va?" (Si l'enfant est de bonne humeur)*
— *"Une bonne journée, aujourd'hui?"*
— *"T'as pas l'air en forme!" (Si l'enfant est de mauvaise humeur)*
— *"T'as l'air d'un gars qui s'est battu!"*
— *"Tu as l'air contrarié!"*

Si l'enfant parle de punitions qu'il a eues, de leçons qu'il n'a pas sues ou de coups qu'il a reçus, il faut l'écouter avec une oreille sympathique, éviter de le critiquer et de le blâmer, et éviter de faire le détective pour savoir s'il a des torts.

Au lieu de dire:
- *"C'est bon pour toi, ça t'apprendra."*
- *"Je te l'avais dit d'étudier aussi."*
- *"Et toi, qu'est-ce que tu avais fait pour te mériter cette punition?"*
- *"Qu'est-ce que tu lui avais fait au petit garçon pour qu'il se fâche?"*
- *"Elle a bien fait de te punir."*
- *"Tu ne les as pas volés ces coups de poing."*
- *"T'avais rien qu'à pas agacer."*

Il faut dire:
— *"Ca pas été une journée facile pour toi."*
— *"C'est décevant de manquer sa récitation."*
— *"C'est dur d'apprendre du par-coeur."*
— *"Tu as dû te sentir humilié."*
— *"Tu dois avoir le goût de te venger."*
— *"Tu dois avoir mal."*

Notre compréhension aide l'enfant à se calmer et à se critiquer lui-même.

Chapitre XIX

Les repas

À table, il faut éviter les critiques comme celles-ci:

— *"Tiens-toi mieux que ça."*
— *"Assis-toi comme il faut."*
— *"Ne mange pas avec tes mains."*
— *"Tu manges comme un cochon."*
— *"Ne parle pas en mangeant."*
— *"Arrête de faire du bruit avec ta bouche."*
— *"Mange donc comme du monde."*
— *"Prends ta cuillère de la main droite."*
— *"Fais attention pour ne pas renverser."*
— *"Attention! Tu vas salir la nappe!"*
— *"Mets pas tes doigts dans ton nez!"*

L'enfant constamment critiqué et désapprouvé peut parfois développer de la nervosité, du ressentiment et de la colère; parfois, il apprend à mal se comporter pour obtenir l'attention de l'entourage; le plus souvent, il éprouve le sentiment d'être "pas correct", "malhabile" et "incompétent". À force d'être critiqué, il apprend à se critiquer lui-même, à se déprécier.

Les enfants apprennent par imitation.

Ils apprennent à choisir les aliments, à les goûter et à les manger proprement en observant leurs parents.

Nous pouvons encourager un enfant à prendre de bonnes habitudes alimentaires en lui proposant d'imiter le parent qu'il admire le plus. Une autre façon, c'est de se servir d'un aliment dont il raffole pour lui faire manger un aliment qu'il trouve moins délectable.

Exemples:
— *"Mange tes légumes, comme papa (le fait); ensuite, tu pourras manger du dessert avec lui."*
— *"Finis tes patates; après, tu auras ton dessert!"*

Ne pas dire: *"Si tu ne finis pas tes patates, tu n'auras pas de dessert."*
Une autre façon, c'est de **féliciter** l'enfant pour ses efforts et initiatives.

Exemple:
— *"Bravo! Tu as tout mangé tes légumes!"*

IL FAUT ÉVITER DE SE LAISSER ENTRAÎNER DANS DES BAGARRES AU SUJET DE LA NOURRITURE

Généralement, on ne doit pas obliger un enfant à manger un mets qu'il n'aime pas. L'enfant doit se sentir libre de refuser ou la soupe ou le steak, ou le poisson ou les épinards.

Cependant, les parents peuvent inciter l'enfant à goûter ces aliments.

Exemple:
— *"Je t'en donne un tout petit peu; goûtes-y et si tu ne l'aimes pas, tu le laisseras."*

Si l'enfant refuse le mets principal*, il peut se faire lui-même une tartine au beurre d'arachides ou des rôties avec du fromage.

---

* Si l'enfant persiste à refuser toujours le même plat, par exemple le foie, le poisson ou les oeufs, il y a lieu d'essayer d'autres recettes, de manière à rendre ces aliments plus désirables. Un autre moyen consiste à donner à l'enfant le privilège de participer à la préparation et à la cuisson de ces aliments.

Les parents doivent alors veiller à **ignorer** le plus possible l'originalité de l'enfant, de manière à ne pas encourager l'enfant à refuser la nourriture qu'on lui prépare. Les parents qui donnent de l'attention (par des remarques, des critiques ou des rires) à leur enfant parce qu'il mange des rôties risquent d'entraîner rapidement cet enfant à ne manger que des rôties.

Surtout, il ne faut pas préparer un deuxième repas pour cet enfant, ni lui donner deux desserts parce qu'il a encore faim. Sans critiquer, on peut dire:

— *"Un seul dessert, comme d'habitude; mais, si tu veux, tu peux te faire encore une beurrée."*

Chapitre XX

Le travail scolaire

LE MOT "DEVOIR" EST DÉMODÉ

Le mot "devoir" a perdu toute signification positive pour les enfants d'aujourd'hui. Autrefois, le mot "devoir" avait une résonnance positive, de sorte que les enfants, comme les adultes, retiraient une certaine satisfaction personnelle à travailler par "devoir", à devenir "des gens de devoir" et à faire "leur devoir".

Aujourd'hui, le mot "devoir" est démodé et a un sens négatif ou désagréable. C'est pourquoi, nous suggérons aux parents de parler plutôt de "travail scolaire".

Le mot "travail" est plus positif et plus valorisant. Il invite l'enfant à imiter ses parents (qui travaillent), à grandir et à devenir plus indépendant.

Chaque connaissance nouvelle est source de plaisir, de satisfaction, de développement émotif et intellectuel. Chaque connaissance nouvelle et chaque petit apprentissage contient une promesse de mieux-être pour soi-même, pour les autres et pour la collectivité.*

C'est cette façon de voir que les parents et les professeurs devraient transmettre aux enfants. Ainsi défini, le travail scolaire est plus léger, plus agréable et plus désirable.

---

* Il est bien évident que les nouvelles connaissances peuvent aussi servir à des fins indésirables. Il est d'autant plus important d'enseigner à l'enfant les aspects positifs et désirables résultant de l'acquisition de nouvelles connaissances.

LE TRAVAIL PEUT ÊTRE UNE SOURCE DE PLAISIR ET DE SATISFACTION

Tout travail qui conduit à des conséquences positives* assez fréquentes et assez importantes, est, par lui-même source de plaisir et de satisfaction. Sur ce point, les sciences biologiques et les sciences du comportement sont d'accord pour affirmer que la vitalité et le "bonheur" sont inconcevables sans le travail (activités physiques et intellectuelles).

C'est dans cette optique que les parents et l'enfant doivent apprendre à considérer toute forme de travail, y compris le travail scolaire.

En outre, il appartient aux parents et au système scolaire de faire en sorte que l'enfant retire de son travail scolaire des conséquences positives suffisamment nombreuses pour rendre ce travail agréable et épanouissant.

* Ces conséquences positives peuvent être: l'acquisition d'une nouvelle connaissance particulièrement utile ou intéressante, une satisfaction personnelle, un succès, un mieux-être, un soulagement, une création, un produit, un salaire, des loisirs, un privilège, un encouragement verbal, un geste affectueux, etc.

LES TRAVAUX SCOLAIRES ET LES LEÇONS CONCERNENT LES ENFANTS ET LE PROFESSEUR QUI A COMMANDÉ CE TRAVAIL

Les parents ont surtout pour tâche:

1- de dire à l'enfant que les travaux scolaires et les leçons sont **sa** responsabilité.

2- de lui fournir un endroit* assez tranquille pour qu'il puisse travailler.

3- de l'aider à trouver le meilleur moment pour exécuter ce travail (avant le souper ou une demi-heure après le souper); après avoir joué ou avant d'aller jouer; ce moment peut varier avec les jours et circonstances).

* S'il n'y a pas de pièce assez tranquille, il va de soi que la famille sacrifie la radio, la télé et les conversations bruyantes de manière à fournir aux enfants une ambiance propice à l'étude.

L'ENFANT AIME MONTRER QU'IL TRAVAILLE

Généralement, les parents ne devraient pas aider l'enfant à faire ses travaux scolaires et à apprendre ses leçons. Ils doivent cependant montrer à l'enfant qu'ils **s'intéressent** à ses travaux et qu'ils voient ses efforts.

A l'occasion, les parents peuvent aider leur enfant, s'ils sont capables de le faire sans critiquer.

Le rôle principal des parents est de prodiguer de la **compréhension** et des **encouragements** à leur enfant, quand celui-ci fait son travail ou apprend ses leçons.

Exemples:
— "C'est du travail bien fait!"
— "Ces problèmes sont difficiles!"
— "Tu as bien travaillé, ce soir!"
— "C'est pas facile d'étudier, n'est-ce pas?"
— "Finis ton travail; ensuite tu pourras aller jouer dehors!"

QUAND UN ENFANT ÉPROUVE DE TRÈS GRANDES DIFFICULTÉS SCOLAIRES, LES PARENTS PEUVENT DAVANTAGE L'AIDER PAR LEURS ENCOURAGEMENTS QUE PAR LEURS ENSEIGNEMENTS

Il est, en effet, fort difficile pour un parent d'enseigner à un enfant qui a de grandes difficultés scolaires, sans manifester de l'impatience ou de la déception sur son visage, dans ses gestes, dans ses paroles ou dans le ton de sa voix.

Généralement, l'aide des parents devrait davantage consister à encourager les petits progrès de l'enfant par des paroles, par des gestes affectueux, par des privilèges ou encore par de petits encouragements matériels.

UN TRAVAIL DE MATHÉMATIQUES; ET UN PÈRE INGÉNIEUX

Claude a dix soustractions à faire pour devoir. Généralement, il prendrait deux heures pour faire ce travail et il accaparerait le temps, l'attention et les réserves nerveuses de ses parents pendant toute cette période. Ce soir, son père lui propose d'aller avec lui au restaurant prendre un chocolat, si, dans une heure, il a terminé ses soustractions sans aide et obtient au moins sept bonnes réponses sur dix. Le père s'engage à faire l'évaluation de ce devoir une seule fois, quinze minutes avant la fin de la période prévue, pour lui indiquer quelles sont les réponses incorrectes (mais sans lui donner les bonnes réponses) et lui donner l'occasion de faire des corrections.

Si Claude réussit, le père le félicite et l'amène prendre un chocolat au restaurant. Si Claude échoue*, le père le félicite quand même pour ses efforts et lui promet de lui suggérer un autre défi le lendemain soir.

---

* Si Claude a manqué d'entrain au travail, le père devra diminuer ses exigences en divisant le travail à faire en plus petites parties et en encourageant Claude après chaque petite partie du travail accompli. Par exemple, il demandera à Claude de faire corriger son travail à tous les deux problèmes et, pour chaque réussite, il le félicitera et lui dira: "Tu as déjà cinq cents, dix cents, vingt cents... pour ton chocolat".

Robert a quinze verbes à conjuguer à l'imparfait de l'indicatif, troisième personne de pluriel. Sa mère s'assure d'abord qu'il comprend le travail à faire. Puis, pour contrer sa lenteur habituelle et son manque d'application, elle lui propose une compétition qui consiste à "battre de vitesse" la minuterie de la cuisinière électrique. Quand la minuterie sonnera, Robert gagnera une surprise s'il a terminé son devoir et obtient douze bonnes réponses sur quinze. Entre temps, il aura droit à **une seule** intervention de la mère qui viendra lui indiquer quelles sont les réponses incorrectes (mais sans toutefois lui fournir les bonnes réponses).

La mère place la minuterie de façon à ce que Robert ait des chances de gagner s'il fait les efforts dont il est capable. Si Robert gagne, la mère lui donne sa surprise en le félicitant. S'il perd, la mère le félicite quand même pour ses efforts et lui promet de reprendre ce jeu un autre soir.

PRENONS GARDE DE DÉCOURAGER L'ENFANT QUI FAIT SON TRAVAIL OU APPREND SES LEÇONS

Exemples de critiques décourageantes:

- *"Si t'avais mieux écouté en classe, tu saurais comment faire ton travail."*
- *"Si tu l'avais écrit aussi, tu saurais quelles pages tu as à apprendre."*
- *"Arrête de mâchouiller ton crayon!"*
- *"Ote ton efface de dans ta bouche!"*
- *"Arrête de te tortiller sur ta chaise!"*
- *"Assis-toi comme il faut pour travailler!"*
- *"T'as donc la tête dure!"*
- *"Dépêche-toi! Ca fait une heure que tu niaises sur la même page!"*
- *"Si tu te grouillais aussi, ça ferait belle lurette que t'aurais fini puis que t'aurais pu aller jouer dehors!"*

GARE À LA COPIE ET AUX AUTRES MESURES PUNITIVES!

La copie peut être un excellent moyen d'apprentissage et ne présenter aucun inconvénient. Par exemple, Monsieur Gagnon peux dire à Jeannot d'une voix neutre, encourageante ou enjouée: "Si tu veux te souvenir du mot "orthographe", copie-le au moins six fois!"; dans les heures qui suivent, Monsieur Gagnon peut jouer avec Jeannot au "jeu de la mémoire" en lui demandant de temps en temps: "Comment épelle-t-on le mot "orthographe"?"

Supposons, au contraire, que Monsieur Gagnon dise à Jeannot d'une voix colérique: "Copie-moi ce mot-là cent cinquante fois" en ajoutant "T'as donc la tête dure!", Jeannot va alors se sentir découragé ou révolté; et il peut se mettre à détester le français et les autres matières scolaires.

Lui donner des coups de règle sur les doigts, lui tirer les oreilles ou les cheveux, le mettre à genoux ou le priver de dessert pour lui apprendre à écrire correctement aurait les mêmes conséquences fâcheuses.

LES PARENTS DOIVENT ÉVITER DE CRITIQUER L'ÉCOLE, LE PROFESSEUR, LE DIRECTEUR ET LES MÉTHODES D'ENSEIGNEMENT ACTUELLES

Si les parents critiquent l'école ou le professeur, il est très probable que l'enfant va cesser de s'appliquer dans son comportement et ses études.

Si le professeur (ou le directeur) semble trop exigeant ou incompétent, les parents peuvent exprimer à leur enfant de la compréhension sans dénigrer le professeur.

— *"Ce n'est pas une année facile pour toi."*
— *"C'est dur pour toi, cette année."*
— *"Ton professeur te donne beaucoup de travail."*
— *"Ca doit être humiliant de se faire dire des noms devant toute la classe."*
— *"Tu devais être fâché après lui!"*

NOTE: Lorsque l'enfant se plaint de son professeur, les parents doivent communiquer avec ce dernier ou avec la direction pour connaître l'autre version des faits.
Même quand l'enfant nous semble avoir tort, nous devons le laisser s'exprimer et l'écouter jusqu'au bout avec bienveillance.

Chapitre XXI

Le sport, les passe-temps et...

...le travail rémunéré

HABITUER L'ENFANT À FAIRE DES CHOIX

Les parents proposent à l'enfant un certain nombre d'activités sportives, artistiques ou sociales (ou encore un travail rémunéré) susceptibles de favoriser son développement.

Cependant, l'enfant ne doit pas être forcé à pratiquer le sport, l'instrument de musique ou une autre activité que préfèrent les parents.

Il doit généralement choisir lui-même de jouer au hockey ou de ne pas jouer, de commencer des leçons de piano ou de judo, de passer les journaux ou d'effectuer un autre travail de son choix.

Cependant, une fois qu'il a choisi une activité ou un travail, il doit assumer les conséquences de ses engagements (à tout le moins pendant un certain temps).

CERTAINS ENFANTS REFUSENT CARRÉMENT DE PRATIQUER DES SPORTS ET DE S'ADONNER À DES ACTIVITÉS PARA-SCOLAIRES.

Pour certains enfants, c'est la peur de "ne pas être capable" ou la peur de l'échec qui leur fait refuser toute activité de loisir ou de travail. Pour d'autres, c'est la dépendance ou l'incapacité de se séparer des parents qui les empêche de participer à ces activités.

Dans tous ces cas, les parents ne doivent pas craindre de forcer leurs enfants à faire des choix et à vaincre leur peur.

Exemples:
— *"Tu choisis entre la natation, le soccer, la balle molle ou le "baseball"; je sais que c'est difficile pour toi, mais tu dois choisir quand même. C'est dans ton intérêt."*
— *"Je crois que tu es assez grande, maintenant, pour apprendre à travailler à l'extérieur et gagner ton argent de poche. Tu dois profiter de l'occasion qui t'est offerte de commencer à travailler. Si, plus tard, tu trouvais quelque chose de plus intéressant à faire, tu pourrais toujours changer de travail."*

L'ENFANT A BESOIN D'ENCOURAGEMENT ET CELUI QU'IL PRÉFÈRE C'EST CELUI DE SES PARENTS

Les parents peuvent influencer positivement le choix de leur enfant ou encourager leur enfant à poursuivre un sport ou une autre activité par des suggestions, des **approbations** et des **encouragements.**

— *"Qu'est-ce que tu dirais de t'inscrire pour le judo, cette année?"*
— *"Est-ce que ça te tenterait d'entrer chez les louvetaux?"*
— *"Bravo! Tu as joué une bonne partie aujourd'hui."*
— *"Je suis content de voir que tu continues à suivre tes leçons."*
— *"Je vois que c'est difficile, mais que tu tiens bon quand même."*

S'il s'agit d'un sport, les parents assistent, aussi souvent qu'ils le peuvent, aux pratiques et aux compétitions. Les parents doivent, toutefois, éviter d'encourager le jeu agressif et la compétition pour elle-même. Une compétition "acharnée" crée un stress inutile et peut, par surcroît, détruire la plus grande partie du plaisir et des autres avantages que l'enfant retire à jouer avec les autres.

LES BLÂMES ET LES CRITIQUES ONT TOUJOURS DES EFFETS NÉGATIFS ET PRODUISENT HABITUELLEMENT LE CONTRAIRE DES COMPORTEMENTS DÉSIRÉS.

Lorsqu'après quelques mois d'efforts, d'exercices ou de travail, il devient évident que l'enfant ne retire pas suffisamment de gratifications dans l'activité qu'il a choisie, ses parents lui permettent d'y mettre un terme et d'en choisir une autre.

Ils évitent de blâmer l'enfant, de le critiquer ou de le punir parce qu'il ne veut plus pratiquer son piano ou continuer à jouer au hockey, ou parce qu'il cesse de passer les journaux. Ils évitent de le culpabiliser en lui rappelant le prix des leçons ou de l'instrument de musique, ou le prix de l'équipement de hockey. Ces reproches peuvent l'empêcher de reprendre, un jour, cette activité ou d'autres activités semblables.

Les parents et les personnes de l'entourage s'abstiennent aussi de blâmer l'enfant et de le déprécier quand il commet des erreurs ou quand il affiche une performance médiocre. S'ils veulent inciter l'enfant à améliorer son rendement, ils n'ont qu'à lui décrire en détail (mais avec bienveillance) les actions à poser ou à omettre pour parvenir à de meilleurs résultats.

Chapitre XXII

L'ordre et la propreté

TRÈS TÔT, L'ENFANT DÉSIRE SE MONTRER UTILE ET COMPÉTENT

Généralement, vers l'âge de 4 ans, l'enfant cherche à imiter ses parents dans l'exécution des tâches ménagères. Il demande, par exemple, à laver la vaisselle, épousseter ou passer l'aspirateur.

Lorsque ses parents accueillent ses demandes, lui permettent d'exercer ses habiletés naissantes et apprécient son aide, l'enfant se sent compétent et utile à sa famille. Son estime de soi grandit. Il est heureux d'apporter sa contribution.

Lorsque les parents refusent son aide, l'enfant éprouve des sentiments d'incompétence et d'inutilité. Puisqu'il ne peut exercer ces tâches qu'il considère si importantes, il ne voit plus quel rôle ni quelle place il pourrait occuper dans sa famille.

AVEC LE TEMPS, LES TÂCHES MÉNAGÈRES PEUVENT PERDRE DE LEUR CHARME

L'enfant qui adorait laver les chaudrons à l'âge de 4 ans peut, vers l'âge de 8-10 ans, s'esquiver tout doucement après le repas dans l'espoir d'éviter cette tâche qu'il considère maintenant peu intéressante.

Une fois que l'enfant a maîtrisé une tâche, le plaisir qu'il éprouvait à exercer ses habiletés diminue graduellement. Bientôt, il considère cette tâche routinière comme un travail ou une corvée indésirable.

Toutefois, les parents ne doivent pas permettre à l'enfant de se dérober devant les travaux ménagers. Même si l'enfant veut éviter d'accomplir ces tâches, il a besoin d'être responsabilisé. Les parents ne doivent pas craindre de l'obliger à faire sa part. Autrement, l'enfant se sentira vaguement mécontent de lui-même, trop dépendant de ses parents et inutile à sa famille.

UNE MÊME TÂCHE MÉNAGÈRE PEUT ÊTRE CONSIDÉRÉE SOIT COMME UNE ACTIVITÉ TOLÉRABLE, SOIT COMME UNE CORVÉE DÉSAGRÉABLE

L'enfant accomplit de bon cœur une tâche ménagère routinière lorsque celle-ci conduit à des conséquences agréables.

Jean accepte de bon gré de faire la vaisselle avec son père parce que ce dernier profite de cette activité pour parler et rire avec son fils, et aussi parce qu'il le remercie souvent pour son aide.

Par contre, Suzanne apprend à détester faire la vaisselle parce que cette activité s'accompagne régulièrement de reproches, de critiques ou d'humiliations comme celles-ci : "Te prends-tu pour la reine d'Angleterre ? Tu manges comme nous-autres, puis t'es pas capable de laver la vaisselle sans rouspéter !"

DES DEMANDES BIENVEILLANTES, DES ENCOURAGEMENTS, ET L'UTILISATION DE "LA RÈGLE DES GRAND'MAMANS" SONT DES MOYENS PRÉCIEUX POUR OBTENIR LA COLLABORATION DES ENFANTS

Exemples:
Demandes bienveillantes:

— *"Viens, papa va t'aider à ramasser tes jouets!"*
— *"Voudrais-tu ramasser tes jouets avant que je passe le balai? Ca me rendrait service!"*
— *"Ce matin, je vais te demander de faire un gros effort: passer la balayeuse dans ta chambre et laver ton plancher. Veux-tu faire ça pour me faire plaisir et pour ton propre confort?"*
— *"Veux-tu venir m'aider à laver la vaisselle?*
— *"Tu as laissé ton veston par terre. Veux-tu aller l'accrocher, s'il te plaît?"*
— *"Voudrais-tu faire ton lit avant de partir? Ca demande un effort, mais c'est tellement plus beau et plus confortable un lit bien fait!"*
— *"Veux-tu me donner un coup de main? Nous allons nettoyer le garage. Ca va faire du bien de mettre de l'ordre dans nos affaires!"*

Encouragements:
— *"Merci pour la vaisselle!"*
— *"C'est dur, laver un plancher, hein?"*
— *"Ca c'est du bon travail! Continue comme ça!"*
— *"Merci de m'avoir aidé! Tu m'as donné un bon coup de main!"*

Règle des grand'mamans*
— *"Tu ramasses tes jouets d'abord; ensuite, tu as ton verre de jus!"*
— *"Tu m'aides à faire la vaisselle et, ensuite, tu iras jouer dehors!"*
— *"Plie ton pyjama et fait ton lit; ensuite, tu viendras prendre un bon déjeuner!"*
— *"Finissons le ménage; ensuite, nous prendrons une liqueur!"*
— *"Aide-moi d'abord à mettre un peu d'ordre dans le garage; ensuite, nous partirons pour la campagne!"*

---

* La règle des grand'mamans est une règle attribuée à la sagesse de nos grand'mères. Cette règle consiste à annoncer à l'enfant qu'un événement agréable suivra l'accomplissement d'une tâche moins agréable.

LES PARENTS DOIVENT S'ATTENDRE À CE QUE L'ENFANT S'OPPOSE À L'ACCOMPLISSEMENT DES TÂCHES MÉNAGÈRES

Il est tout à fait normal que, de temps en temps, l'enfant cherche à se dérober à sa responsabilité d'effectuer sa part de travaux ménagers. Alors, il met ses parents à l'épreuve en refusant passivement d'exécuter le travail demandé, en criant à l'injustice et en utilisant toutes sortes de ruses pour s'y soustraire.

Pour avoir la paix, les parents faibles cessent rapidement d'exiger l'aide de l'enfant, tout en continuant, inévitablement, de le blâmer et de le culpabiliser pour sa non-participation aux tâches domestiques. Sans s'en rendre compte, ces parents privent leur enfant d'exercer ses habiletés et de prendre des forces pour affronter, plus tard, le monde du travail et des responsabilités.

IL EST POSSIBLE DE REMETTRE SON ENFANT AU TRAVAIL

Parfois, il suffit de montrer un peu plus d'adresse et de fermeté dans ses demandes, puis de dispenser des encouragements appropriés après l'exécution des tâches domestiques (voir p. 53, 245-246).

Cependant, ces méthodes sont tout-à-fait inefficaces lorsque l'enfant a appris antérieurement à faire échec à l'autorité de ses parents (voir p. 158).* Pour reconquérir cette autorité, le parent peut procéder de la façon suivante: D'abord, donner des directives claires et fermes.

Exemples:
— *"Maintenant, va serrer tes vêtements!"*
— *"Maintenant, va faire ton lit!"*
— *"Maintenant, époussette ta commode!"*
— *"Maintenant, va passer l'aspirateur dans ta chambre!"*
— *"Maintenant, viens faire la vaisselle!"*

* **Cette perte d'autorité est souvent le résultat des désaccords entre les parents sur la manière de diriger les enfants.**

Le parent doit s'attendre à ce que l'enfant utilise toutes sortes de stratégies pour éviter de s'exécuter. Par exemple, il peut faire semblant de ne pas entendre ; il peut aussi demander un délai en promettant de faire son travail plus tard ; il peut prétendre que vous n'êtes pas juste envers lui ; il peut mentir en disant qu'il est attendu ailleurs, ou inventer d'autres excuses ; il peut tenter de vous culpabiliser en vous accusant d'être plus exigeants que les autres parents ; il peut même se mettre à crier ou vous insulter, en espérant que vous aller contre-attaquer en criant et en punissant ; il peut fuir en larmes ou en claquant la porte* ; il peut aussi chercher à mettre votre conjoint en désaccord avec vous ; il peut changer le sujet de la conversation en vous accusant d'autres injustices ou en introduisant un sujet qui vous tient à cœur. Bref, l'enfant utilise tous les moyens qui ont fonctionné jusqu'à maintenant.

Cette fois, et dorénavant, ne mordez plus à l'hameçon. Lorsqu'il n'exécute pas immédiatement ce que vous lui commandez, prenez-le par le bras (sans répéter, crier, blâmer, menacer ou insulter) et escortez-le pour lui faire accomplir la tâche prescrite. Ne quittez pas les lieux avant qu'il ait commencé son travail. S'il lambine, mettez votre main sur la sienne et imprimez à sa main le rythme désiré.

* Généralement, il faut empêcher cette fuite et ramener l'enfant à la maison. Toutefois, si cela est impossible ou peu souhaitable étant donné les circonstances, les parents n'oublient surtout pas de faire exécuter la tâche commandée dès le retour de l'enfant.

Lorsque l'enfant refuse obstinément de collaborer, le parent l'empêche, s'il le faut, par la force physique, de fuir dans une autre pièce ou hors de la maison, et de s'adonner à d'autres activités; si nécessaire, il le prive de nourriture et de sommeil jusqu'à ce qu'il ait accompli sa tâche.

Exemples:
— *"Tu termines d'abord ton travail; ensuite tu sortiras!"*
— *"Tu fais d'abord ta chambre; ensuite, tu viendras manger!"*
— *"Tu finis la vaisselle d'abord; ensuite, tu pourras aller au lit!"*

Le parent garde son calme et ne répond pas aux récriminations, aux argumentations, aux injures et autres provocations de l'enfant.

Une fois le travail terminé, le parent remercie l'enfant pour sa collaboration. Lorsque l'enfant a appris à exécuter des ordres simples, le parent peut passer à des demandes plus complexes.

Exemples:
— *"Dorénavant, tous les samedis matins, tu changes tes draps; tu portes tes draps sales au lavage; tu époussettes tes meubles; tu ranges tes vêtements et tes chaussures, puis tu passes l'aspirateur dans ta chambre".*

Chapitre XXIII

Le coucher

LE COUCHER PEUT ÊTRE UN MOMENT AGRÉABLE POUR L'ENFANT

Le moment de se mettre au lit devient agréable pour l'enfant quand celui-ci devient convaincu que ses parents ne se servent pas du coucher pour pouvoir enfin se débarrasser de lui. Aussi, les parents doivent-ils s'assurer que l'enfant ait sommeil avant de le mettre au lit ou de l'envoyer se coucher.

Dans l'heure qui précède le coucher, les activités énervantes comme les chatouillements, les tiraillages, les chamaillages, les contes épeurants et les émissions de télévision susceptibles d'énerver les enfants devraient être bannies. Ces activités peuvent, en effet, donner lieu (directement ou indirectement) à des difficultés à s'endormir, à des peurs, à des cauchemars ou à un sommeil agité.

VEILLER AU CONFORT DE L'ENFANT ET LUI ÉVITER UNE TROP GRANDE FRUSTRATION

Aider un jeune enfant à se mettre au lit, c'est prendre plaisir à le baigner, à jouer dans le bain avec lui, à l'assécher, à le poudrer, à lui mettre son pyjama, à le border dans son lit, à l'embrasser et à lui souhaiter de beaux rêves.

Lorsqu'il s'agit d'un enfant plus âgé, capable de se déshabiller, de se laver et de mettre son pyjama, il faut prendre soin de fixer des délais lorsque nous lui demandons d'aller se coucher, de façon à lui éviter une trop grande frustration.

Exemples:
— *"Finis de regarder ton émission (de télé): après, c'est l'heure d'aller te coucher."*
— *"Continue ton casse-tête (ou ton mécano) encore 15 minutes. Après quoi, tu iras prendre ton bain."*

Une chambre confortable et aménagée au goût de l'enfant sera pour celui-ci plus accueillante et il aimera davantage y aller dormir.

IL FAUT ÉVITER D'OUVRIR UNE DISCUSSION OU UNE NÉGOCIATION AVEC LES ENFANTS AU SUJET DE L'HEURE DU COUCHER

Nous pouvons nous montrer compréhensifs* sans devenir le jouet de l'enfant:
— *"Je sais que tu aimerais regarder encore une autre émission de télévision, mais c'est l'heure d'aller te coucher."*
— *"Tu as encore le goût de jouer, mais c'est l'heure d'aller au lit, maintenant."*

Lorsque l'enfant ne s'exécute pas, lambine ou utilise d'autres ruses pour retarder le coucher, le parent le prend par la main, le reconduit jusqu'à son lit, le borde et le quitte sans discourir. Il ne retourne surtout pas dans la chambre de l'enfant lorsque ce dernier pleurniche, proteste, appelle, fait une crise ou formule d'autres demandes. Il ne lui parle pas, non plus, pour lui dire de se taire, le gronder ou répondre à ses questions ou à ses appels.

Il est bon d'avoir une heure de coucher en rapport avec l'âge et le besoin de l'enfant. Nous devons cependant montrer de la souplesse et permettre, à l'occasion, de retarder l'heure du coucher, par exemple, pour récompenser l'enfant, ou quand c'est congé ou lors d'un évènement spécial.

* Commander sèchement à un enfant d'aller au lit en disant *"Va te coucher!"* n'est pas la meilleure manière. Nous pouvons montrer de la fermeté et en même temps de la compréhension.

AU MOMENT DU COUCHER, IL FAUT SOUVENT DONNER À L'ENFANT DES ATTENTIONS, DE LA COMPRÉHENSION ET DES ENCOURAGEMENTS

Ces attentions et encouragements aident l'enfant à mettre fin à ses activités préférées et à accomplir certaines activités qu'il trouve parfois désagréables, comme se laver, prendre son bain, enlever et suspendre ses vêtements.

Exemples:

— *"Prépare-toi à te mettre au lit; quand tu seras prête, j'irai te raconter une histoire."*

— *"Mets-toi au lit tout de suite; dans deux minutes, je viens te donner ton bec et border ton lit."*

— *"Tiens, je te prête ma plus belle serviette."*

— *"Je sais que tu n'aimes pas tellement ça te laver."*

— *"Pendant que tu prends ton bain, je te prépare une bonne collation."*

— *"Lave-toi d'abord et mets ton pyjama; ensuite, tu auras ton verre de lait et tes biscuits au chocolat."*

PLUS UN PARENT S'INTÉRESSE POSITIVEMENT À SON ENFANT AU MOMENT DU COUCHER, PLUS LE COUCHER DEVIENT UNE ACTIVITÉ FACILE ET PLAISANTE

Par contre, plus un parent crie ''va te coucher'' et ''dépêche-toi'', plus un parent se met en colère et critique les lenteurs de l'enfant, sa non-obéissance, son entêtement ou son négativisme, plus il encourage son enfant à s'opposer à lui quand vient le temps d'aller au lit (parce qu'il donne à son enfant de l'attention pour ses comportements indésirables).

UN PROBLÈME DE COUCHER

Exemple

Sylvie, 5 ans, présentait des problèmes au moment de se mettre au lit. Elle cherchait des prétextes pour retarder l'heure du coucher, et le tout se terminait très souvent par des tapes et des pleurs, jusqu'au jour où les parents ont décidé d'une approche positive.

Le père a fait à Sylvie la proposition suivante: "Chaque fois que tu iras te coucher à l'heure convenue et sans faire de problèmes, tu pourras m'accompagner, le matin, quand je vais faire ma promenade avec le chien."

Les deux premiers soirs, Sylvie est allée au lit avec enthousiasme. Le troisième soir, cependant, elle a recommencé son manège habituel. Les parents ont ignoré Sylvie en évitant de lui répondre et de la regarder; mais le lendemain, Sylvie n'a pas eu la permission d'accompagner son père pour sa promenade matinale. Elle a beaucoup pleuré ce matin-là, mais, par la suite, elle n'a plus présenté de problèmes au moment du coucher.

L'ENFANT A ACQUIS LES DROITS DE PREMIER OCCUPANT DANS SA CHAMBRE

C'est sa chambre! Lorsqu'il en est capable, il peut la décorer et l'aménager à son goût.

Nous devons le consulter si nous décidons de repeindre sa chambre, d'acheter de nouveaux meubles ou d'y faire des rénovations. Nous devons alors choisir avec lui la peinture, les meubles, le papier-tenture, les "posters" et les rideaux (en tenant compte, bien sûr, des limites de notre budget).

Il faut surtout éviter de prêter ou de céder sa chambre à quelqu'un d'autre sans auparavant en parler avec lui pour obtenir son consentement.

Quand un enfant s'absente de la maison pour des vacances, pour une hospitalisation ou pour toute autre raison, il ne faut jamais céder sa chambre à un pensionnaire, à moins d'avoir, préalablement, obtenu son accord. Lorsqu'à son retour, l'enfant découvre que sa chambre est occupée par un autre, il peut se sentir profondément rejeté.

En son absence, il faut éviter de faire des rénovations dans sa chambre et d'acheter de nouveaux meubles. L'enfant doit retrouver sa chambre dans l'état où il l'a laissée.

Chapitre XXIV

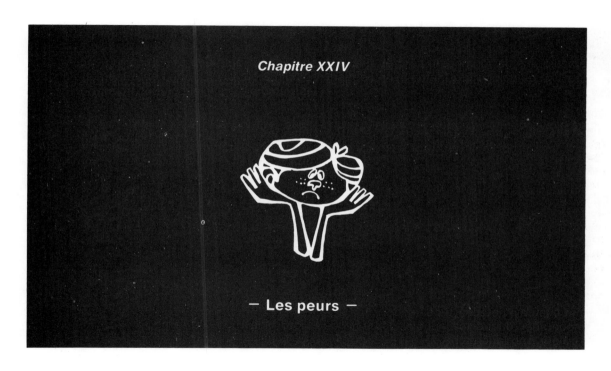

— Les peurs —

IL EXISTE CHEZ LES ENFANTS COMME CHEZ LES ADULTES UNE GRANDE VARIÉTÉ DE PEURS QUI SE MANIFESTENT À DES DEGRÉS D'INTENSITÉ FORT DIVERS

Les peurs les plus fréquentes chez les enfants sont (avec la peur d'être frappé ou blessé par les adultes et la peur d'être abandonné par leurs parents) la peur de la noirceur et la peur des animaux.

La peur des animaux chez l'enfant est souvent une pure imitation de la peur manifestée par les adultes de son entourage à l'égard d'un ou de plusieurs animaux (souris, chien, chat, oiseau, insecte).

Parfois, c'est la peur d'être battu, blessé, abandonné ou placé par les parents qui semble à l'origine des autres peurs chez l'enfant.

POUR FAIRE DIMINUER ET CESSER CHEZ UN ENFANT LA PEUR DE LA NOIRCEUR OU LA PEUR D'UN ANIMAL, IL FAUT SUIVRE CERTAINES RÈGLES:

1- Il ne faut jamais utiliser l'humiliation, la critique, les menaces ou les tapes pour forcer l'enfant à vaincre sa peur.
2- Il faut éviter que la peur ne devienne trop payante pour l'enfant:
   a) Chaque fois que l'enfant peut éviter l'objet de sa peur (par exemple, la vue de l'animal ou de la noirceur), chaque fois, sa peur grandit à cause du soulagement ressenti quand il évite l'animal ou la noirceur).
   b) Chaque fois que l'enfant reçoit de l'attention ou des consolations de son entourage après avoir manifesté sa peur, chaque fois, il est encouragé à montrer sa peur.
3- Notre attention, nos commentaires positifs, nos approbations et nos encouragements matériels sont très utiles pour aider l'enfant à vaincre ses peurs, à condition que ces encouragements soient **vraiment** mérités ou gagnés par l'enfant parce qu'il fait des progrès dans la maîtrise de sa peur. Ces encouragements doivent être donnés **immédiatement après** un succès de l'enfant dans la maîtrise de sa peur.

NADINE A PEUR DE SES ANIMAUX EN PELUCHE

Nadine vient d'avoir ses trois ans. Un soir, à peine au lit, au moment où sa mère venait de sortir de sa chambre, Nadine s'est mise à pleurer. A sa mère venue s'enquérir des motifs de ses pleurs, Nadine a désigné son plus gros toutou en peluche juché sur une armoire, en déclarant qu'elle avait peur. La mère s'est alors empressée de dénicher le gros toutou et de le faire disparaître dans une armoire.

Dans les jours qui suivirent, Nadine a manifesté sa peur à l'égard de tous ses jouets en peluche (même les plus petits et les plus aimés), de même que sa peur de la noirceur. Après que la mère eut caché toute l'animalerie et eut installé une veilleuse dans la chambre de sa fille, les peurs de Nadine persistaient de plus belle.

Nous avons conseillé à la mère de re-sortir immédiatement tous les toutous cachés dans les armoire et de les réinstaller là où ils étaient auparavant. Nous lui avons aussi suggéré d'allonger le rituel du coucher. D'abord, Nadine prendrait un bon bain chaud chaque soir, avant d'aller au lit, et serait encouragée à jouer longuement dans l'eau jusqu'à ce qu'elle soit bien détendue. Ensuite, sa mère la bercerait jusqu'à ce qu'elle s'endorme dans ses bras; puis, elle irait la mettre au lit et la border dans ses couvertures.

Douze jours plus tard, lorsque nous avons pris des nouvelles de Nadine, ses peurs étaient disparues.

Un exemple
Denise a 7 ans. Elle a peur de la noirceur au point de ne pouvoir dormir que dans une chambre entièrement illuminée.

Les parents décident d'aider Denise à se débarrasser de cette peur. Ils cessent de critiquer Denise et de l'humilier à cause de sa peur. Comme Denise adore les chiens, ses parents lui proposent de lui en acheter un lorsqu'elle aura réussi à dormir sans aucune lumière pendant 15 jours d'affilée.

Entre temps, en attendant de pouvoir complètement maîtriser sa peur, Denise peut gagner de l'argent avec lequel elle peut dès maintenant acheter des accessoires pour son chien, tels collier, chaîne, plat pour manger, plat pour boire, balle pour jouer, nourriture...

Ainsi, Denise peut gagner 15 cents par soir, si elle se conforme aux exigences suivantes:
Le premier et le deuxième soir, elle peut gagner 15 cents seulement en éteignant elle-même la lumière de sa chambre pendant 30 secondes.

Le troisième et le quatrième soir, elle doit éteindre la lumière pendant 60 secondes pour mériter son 15 cents.

Le cinquième et le sixième soir... 90 secondes.
Le septième et le huitième soir... 2 minutes.
Le neuvième soir... 3 minutes.
Le dixième soir, 4 minutes et ainsi de suite, en augmentant d'une minute ou plus par soir le temps requis pour obtenir 15 cents.

Les parents ne ménagent pas leurs **approbations** et leurs **encouragements** à leur fille quand celle-ci réussit à garder la lumière éteinte pendant la durée prévue; et ils lui remettent immédiatement son 15 cents. Si Denise s'endort pendant l'exercice, les parents attendent au lendemain matin pour la **féliciter** et lui remettre son 15 cents.

Quand Denise échoue, elle n'a pas droit à une reprise le même soir, mais le soir suivant, elle recommence l'étape qu'elle a échouée la veille. Quand Denise échoue, les parents ignorent Denise. Ils refusent de bavarder avec elle au sujet de sa peur ou de son échec. Ils lui disent une seule fois, calmement, qu'elle pourra se reprendre le soir suivant. Ils ne portent aucune attention à ses larmes et récriminations. Ils ne lui donnent pas son 15 cents avant qu'elle ait **parfaitement** réussi l'étape en question.

Si Denise manifeste le désir et la capacité d'aller plus vite que prévu, les parents augmentent leurs exigences (la durée prévue pour obtenir 15 cents) mais ils le font **graduellement,** en tenant compte de la capacité réelle de Denise à faire des progrès.

Un exemple:

Stéphane a 13 ans. Il vient d'entrer à l'école polyvalente. Le quatrième jour de classe, il téléphone à sa mère pour la supplier, en pleurant, de venir le cherche à l'école. Le jour suivant, il refuse de prendre l'autobus scolaire, disant qu'il se sent angoissé, qu'il a peur des garçons dans l'autobus et qu'il a aussi très peur d'un professeur qui, la veille, a proféré des menaces à l'endroit d'un compagnon de classe.

Pendant quatre mois, Stéphane ne met pas les pieds à l'école. Au début du cinquième mois, les autorités scolaires menacent les parents de les faire comparaître en Cour du Bien-être social, s'ils n'envoient pas leur fils à l'école. Les parents, après avoir consulté, mettent au point le plan suivant: Ils annoncent à Stéphane qu'ils vont l'aider à retourner graduellement à l'école. Ils comprennent que ce sera très difficile pour lui de vaincre sa peur, et c'est pour cela qu'ils lui offrent de gagner, par étapes, un encouragement matériel de son choix, en occurrence un "Walkie-talkie".

Collage du "Walkie-talkie"

NOTE: Chacun des carreaux vaut 1 point. A chaque jour de succès, Stéphane va colorier un des carreaux.

Acculé par l'obligation d'aller à l'école, et attiré par la possibilité de gagner le "Walkie-talkie" de ses rêves, Stéphane accepte le programme proposé par ses parents. La mère communique alors avec la directrice de l'école pour mettre au point ce programme.

Le premier jour, la mère va conduire son fils à l'école et l'attend dans la salle d'attente de l'école pendant qu'il assiste à sa première période de cours. Le cours terminé, Stéphane rejoint sa mère qui le félicite et lui annonce qu'il a gagné le premier des dix points nécessaires pour l'obtention de son "Walkie-talkie". Elle lui remet une pomme qu'elle lui a apportée. Tous deux retournent à la maison, comme convenu. Le soir, le père et les autres membres de la famille félicitent Stéphane pour son succès.

Le jour suivant, Stéphane doit assister à deux périodes de cours pour obtenir le point désiré et l'approbation des membres de sa famille. Le troisième jour, il doit assister à trois périodes de cours... Le quatrième jour, il doit assister à quatre périodes de cours... Le cinquième jour et les jours suivants, il doit prendre l'autobus et assister à tous les cours pour gagner son point et l'approbation des membres de sa famille.
En dix jours, Stéphane réussit à gagner son "Walkie-talkie" et à maîtriser complètement sa peur d'aller à l'école.

Chapitre XXV

La rivalité fraternelle

LA JALOUSIE EST UN SENTIMENT HUMAIN NORMAL

Tous les enfants et tous les adultes éprouvent des sentiments de jalousie parce que toute personne désire être aimée plus que les autres et, parfois, d'une manière exclusive.

Il est normal qu'à certains moments un enfant aime sincèrement son frère ou sa soeur et, qu'à d'autres moments, il en soit jaloux, les haïsse, préfèrerait qu'ils ne soient pas nés, de sorte qu'il puisse tout avoir pour lui seul.

Nier le problème de la jalousie, se vanter que son enfant n'est pas jaloux, c'est se cacher à soi-même ses propres sentiments de jalousie et apprendre à son enfant à cacher les siens.

La jalousie niée ou cachée s'exprime souvent chez les enfants d'une manière voilée et indirecte par des comportements indésirables. Par exemple, l'enfant mouille son lit; ou il est distrait à l'école; ou il suce son pouce; ou il devient très agressif; ou il taquine et dérange les autres en classe.

Certains enfants expriment cette jalousie en demandant à leurs parents si le nouveau bébé peut mourir; ou encore en demandant à leurs parents de reporter le bébé à l'hôpital; ou de le jeter à la poubelle, ou de le donner à une voisine, ou encore de faire venir la Société protectrice des animaux pour le chercher.

Quand l'enfant exprime ses sentiments de jalousie, il faut montrer de la compréhension.

Quand il ne les exprime pas, nous pouvons l'aider à le faire.

Exemples:
— *"Parfois, tu dois trouver que le bébé est "braillard" et tannant."*
— *"Des fois, tu aimerais mieux que le bébé ne soit pas là."*
— *"Des fois, tu aimerais mieux ne pas avoir de petite soeur."*

Quand un parent surprend son enfant en train de malmener le bébé ou un enfant plus jeune, il doit s'opposer et interdire ces gestes agressifs.

Exemples:
— *"Je ne te laisserai pas frapper le bébé!"*
— *"C'est défendu de t'en prendre au bébé, il est trop petit!"*

Après cette interdiction, le parent n'oublie pas d'aider l'enfant à exprimer verbalement ses sentiments de jalousie.

Exemples:
— *"Tu n'aimes pas beaucoup le bébé, hein?"*
— *"Tu voudrais avoir ta maman pour toi toute seule, n'est-ce pas?"*
— *"Tu dois penser que nous aimons mieux le bébé que toi... Quand tu penses cela, tu peux me le dire."*

POUR PRÉVENIR UNE TROP GRANDE JALOUSIE DE LA PART DES AÎNÉS, LES PARENTS DOIVENT LEUR DONNER DE NOUVEAUX PRIVILÈGES AINSI QUE DES RESPONSABILITÉS QUI LEUR PLAISENT

C'est une compensation pour l'attention perdue par les aînés. Par exemple, l'enfant plus âgé se couche plus tard, peut rentrer plus tard le soir, peut sortir le chien pour prendre une marche, peut passer l'aspirateur ou accomplir une autre tâche qu'il aime.

En même temps, il faut prévenir la jalousie des plus jeunes à l'égard des aînés.

Exemples:
— *"Tu voudrais te coucher plus tard, en même temps que ton frère; quand tu auras son âge, toi aussi tu pourras te coucher à 9 heures."*
— *"Tu aimerais ça, toi aussi, pouvoir entrer à 9 heures."*
— *"Tu aimerais ça avoir 10 ans plutôt que 6 ans."*

IL FAUT RÉSERVER À CHAQUE ENFANT UNE BONNE MESURE D'ATTENTION INDIVIDUELLE

Cela prévient une jalousie excessive et donne à l'enfant le sentiment d'être aimé pour lui-même.

Tout enfant a besoin, de temps en temps, d'être seul avec son père ou sa mère et d'avoir, pour un moment, leur attention et leur affection pour lui seul. Il faut savoir créer ces occasions et réserver, pour chaque enfant, des moments où il pourra, s'il le désire, nous parler de ses joies, de ses activités, de ses inquiétudes et de ses chagrins.

Exemples:
— *Jouer avec lui dans sa chambre.*
— *Regarder avec lui une de ses émissions préférées à la télé.*
— *L'amener au restaurant prendre un chocolat ou une liqueur douce.*
— *Aller jouer à la balle avec lui.*
— *L'amener voir un spectacle.*
— *L'amener faire des emplettes.*
— *L'amener à la pêche ou en excursion.*
— *Faire une marche avec lui.*

IL FAUT ÉVITER D'ENCOURAGER LA RIVALITÉ

Nous causons une jalousie excessive lorsque nous donnons à un enfant la plus grande part de notre attention et délaissons les autres enfants; ou quand nous prenons parti plus souvent pour un enfant; ou encore quand nous ne cessons de parler de l'intelligence et du savoir-faire d'un enfant et que nous ignorons, ou faisons passer au second plan, les connaissances et le savoir-faire des autres enfants.

Une autre façon d'encourager la rivalité chez les enfants, c'est de comparer les enfants entre eux. Il faut éviter de dire, par exemple:

- *"Regarde Pierre, il est plus propre que toi."*
- *"Jeanne est plus polie que toi."*
- *"Lui, il n'est pas grossier comme toi."*
- *"Elle, elle se peigne au moins!"*
- *"Marie n'est pas menteuse comme toi."*
- *"Regarde ta soeur; elle, elle mange ses légumes."*

DES AMOURS CRUELS QUI SUSCITENT UNE GRANDE JALOUSIE

Beaucoup de parents ont l'occasion de garder ou d'héberger des enfants pour des périodes plus ou moins longues, bénévolement ou moyennant rétribution financière.

Il n'est pas rare de voir certains parents consacrer la plus grande partie de leur temps, de leur attention, de leurs approbations et de leur affection à ces enfants qui ne sont pas les leurs. Dans leur enthousiasme, ils oublient et négligent leurs propres enfants.

Certains parents vont même jusqu'à comparer avantageusement ces enfants "étrangers" avec les leurs pour faire la leçon à leurs propres enfants. Ils ne se rendent pas compte de la cruauté de leurs propos, de la jalousie et du désespoir qu'ils suscitent chez leurs propres enfants.

"TOI, TU ES PLUS GRAND(E)": UNE PHRASE QUI CACHE PARFOIS DE PETITES OU DE GRANDES INJUSTICES

C'est, en effet, la phrase que disent la plupart des parents quand ils veulent se justifier d'accorder leur préférence à un enfant plus jeune, de lui donner plus d'attention et d'affection, et généralement, de lui donner raison contre l'enfant plus âgé.

SAVOIR PRÉVENIR LA RIVALITÉ LORSQUE NOUS ATTRIBUONS DES ENCOURAGEMENTS MATÉRIELS À UN MEMBRE DE LA FAMILLE

Habituellement, les parents savent s'ils peuvent ou non attribuer des encouragements matériels à un enfant dans la famille sans soulever une trop grande rivalité de la part des autres enfants.

Lorsqu'ils prévoient qu'un tel geste risque de rendre très jaloux un ou plusieurs autres enfants, les parents peuvent alors faire gagner à un enfant des objets, des friandises ou des privilèges pour **lui et les autres** enfants de la famille, ou encore lui faire gagner des récompenses familiales (ex: une crème glacée pour tous les membres de la famille; une visite au Zoo; un pique-nique familial, une promenade à la campagne, etc.).

Comme autre solution, les parents peuvent élaborer des programmes individuels pour chacun des enfants. Ces programmes doivent tenir compte des difficultés particulières à chaque enfant. Par exemple, Gilles peut gagner des sous pour améliorer ses notes hebdomadaires de mathématiques alors que Lucille peut gagner la même somme pour améliorer ses notes hebdomadaires en histoire et en géographie. Jacques peut gagner une sortie pour apprendre à collaborer aux tâches ménagères, alors que Lise peut gagner une sortie pour apprendre à aller au lit, le soir, sans rechigner.

LORSQU'UN ENFANT NOUS ACCUSE D'ÊTRE INJUSTES, MIEUX VAUT CHERCHER À LE COMPRENDRE QU'À NOUS DÉFENDRE

Quand un enfant se plaint que nous aimons et favorisons davantage son frère ou sa soeur, il est tout-à-fait inutile et mal-à-propos de chercher à nous justifier. Nous devons plutôt donner à l'enfant la chance de pouvoir nous parler de ses sentiments.

Exemples:
— *"Tu crois que nous aimons mieux ta soeur..."*
— *"Tu crois que nous sommes injustes envers toi..."*
— *"Ca t'a fait de la peine que je dise cela..."*
— *"Ca t'a fâchée que je donne raison à ton frère sans même écouter ta version..."*

Ensuite, si nous avons vraiment été injustes, il vaut mieux le reconnaître. Sinon, il faut quand même montrer de la compréhension pour les sentiments de l'enfant.

Exemple:
— *"Chaque fois que tu te sentiras comme ça, chaque fois que tu penseras que je suis injuste envers toi, tu peux venir m'en parler."*

Chapitre XXVI

L'entraînement

à la toilette

L'ENFANT SERA PLUS MOTIVÉ À DEVENIR PROPRE SI VOUS LUI MONTREZ VOTRE CONTENTEMENT CHAQUE FOIS QU'IL VA SUR LA TOILETTE

Pour entraîner un enfant à la toilette, il suffit généralement de lui dire calmement ce que nous désirons, de l'amener à la toilette régulièrement (après chaque repas, entre les repas, au lever et au coucher) en répétant patiemment nos instructions et en **montrant notre satisfaction** pour chacun de ses succès.

Pour remplacer le plaisir que retirait l'enfant en faisant dans sa couche, il est bon de fournir à l'enfant l'occasion de jouer dans le sable, dans l'eau, ou avec de la plasticine.

IL FAUT ÉVITER DE TAPER LES ENFANTS, DE LES PUNIR ET DE LES MENACER POUR LES ENTRAÎNER À LA TOILETTE

Ces procédés peuvent avoir des effets contraires à ceux désirés. L'enfant peut refuser d'apprendre à éliminer sur la toilette, ou encore devenir constipé. De plus, ces mesures peuvent provoquer chez l'enfant la peur de ses parents et, parfois, de la tristesse et de la haine.

Avant l'âge de 2 ans, un enfant n'est pas en mesure de contrôler parfaitement son intestin. Avant l'âge de 3 ans, un enfant n'est pas en mesure d'avoir un contrôle parfait de sa vessie. On peut s'attendre à des "accidents" jusqu'à l'âge de 6 ans.

COMMENT VAINCRE L'OPPOSITION À S'ASSEOIR SUR LE POT

Daniel a 2 ans. Chaque fois que sa mère le met sur le pot, il fait une crise de pleurs et d'opposition. Il cherche à se lever et à fuir le pot. Ne sachant vraiment plus quoi faire, la mère vient consulter. Nous lui suggérons ce qui suit:

— *Le mettre sur le pot une première fois et, à l'instant même où elle l'asseoit, lui mettre dans la bouche une toute petite friandise. Ensuite, lui permettre de se lever immédiatement de sur le pot, s'il le désire.*
— *Vingt minutes plus tard, le mettre sur le pot; tenir une petite friandise devant ses yeux pendant une ou deux secondes avant de la lui donner. Ensuite, le féliciter et lui permettre de se lever immédiatement s'il le désire.*
— *Vingt minutes plus tard, le mettre encore sur le pot; retenir devant ses yeux une petite friandise pendant quatre secondes avant de la lui donner. Ensuite, lui permettre de se lever s'il le désire.*
— *Les fois suivantes, procéder de la même façon, en augmentant de quelques secondes à la fois la période d'attente requise pour gagner une petite friandise; et ce, jusqu'à ce qu'il puisse s'asseoir sur le pot pendant 4 ou 5 minutes sans se lever. Alors seulement, cesser les friandises pour l'asseoir sur le pot. Garder ces friandises pour l'encourager quand il fera pipi ou caca dans son pot.*

Un exemple:

Martine, 3 ans et demi, n'est pas encore propre. Après avoir consulté, sa mère entreprend de l'aider.

— *Pendant quatre ou cinq jours, la mère sert de modèle à Martine. Quand la mère va à la toilette, elle amène Martine avec elle et lui montre quoi faire en décrivant chacun de ses gestes: baisser la culotte, éliminer, utiliser le papier de toilette, lever la culotte, faire partir la chasse d'eau, se laver et s'essuyer les mains.*

— *Pendant ces quatre ou cinq jours, la mère prend en note l'heure à laquelle Martine mouille sa culotte ou fait ses selles. En rassemblant ses notes à la fin de ces quatre ou cinq jours, la mère a une idée exacte des moments où Martine sent le besoin d'éliminer (i.e. des moments où l'urine crée une pression dans la vessie ainsi que des moments où le gros intestin se contracte). La mère peut ainsi se faire un horaire pour savoir quand envoyer Martine à la toilette.*

— *A ces différents moments (où normalement Martine sent le besoin d'éliminer), la mère l'amène à la toilette en lui demandant: "As-tu envie de pipi?" ou "As-tu envie de caca?"*

— *Au début de l'entraînement, la mère aide Martine en l'amenant à la toilette, en lui montrant à baisser sa culotte, à s'essuyer avec du papier de toilette, à lever sa culotte, à se laver et s'essuyer les mains, mais au fur et à mesure que Martine se montre capable de se débrouiller, la mère retire son aide GRADUELLEMENT. De même, au début de l'entraînement, la mère reste près de Martine quand celle-ci est sur la toilette. Cependant, au fur et à mesure que Martine a*

* **Les techniques d'entraînement à la toilette ont surtout été développées par N.H. Azrin et R.M. Foxx.**

des succès, la mère s'éloigne GRADUELLEMENT de Martine quand celle-ci est sur la toilette, de sorte qu'après quelques jours, Martine n'a plus besoin d'être accompagnée pour aller à la toilette.

— *Quand Martine élimine, la mère la félicite avec ENTHOUSIASME, et lui donne IMMEDIATE-MENT une petite friandise.*

— *Si, après cinq minutes, Martine n'a pas éliminé, la mère l'autorise, SANS LA REPRIMANDER, à quitter la toilette. La mère l'envoie de nouveau à la toilette cinq ou dix minutes plus tard. Si Martine n'a pas de succès, la mère cesse les essais pour le moment et recommence plus tard en suivant son horaire. Entre-temps, elle lui offre à boire. D'ailleurs, tout au long de la journée, la mère n'oublie pas de lui donner à boire généreusement (eau, lait, jus) pour augmenter chez Martine le besoin d'éliminer.*

— *Quand Martine mouille ou salit sa culotte, la mère exprime brièvement le pourquoi de son mécontentement. Ensuite, elle lui demande de mettre une culotte sèche et de rincer sa culotte souillée. Si Martine a mouillé ou sali le plancher, la mère le lui fait nettoyer ou essuyer.*

— *Régulièrement, chaque demi-heure, la mère vérifie la culotte de Martine. Si la culotte est sèche, la mère FELICITE Martine et l'embrasse affectueusement en lui disant pourquoi elle est contente. Puis, elle lui donne IMMEDIATEMENT une PETITE friandise.*

— *Après quelques jours, lorsque Martine est propre, la mère cesse de lui dire d'aller à la toilette et de vérifier sa culotte. Elle cesse aussi GRADUELLEMENT les encouragements matériels. Cependant, elle continue, pour quelques semaines encore de la féliciter de temps en temps pour ses succès sur la toilette.*

IL MOUILLE SON LIT... QUOI FAIRE?

Un exemple:

Stéphane n'avait jamais été propre la nuit. A 13 ans, il mouillait encore son lit toutes les nuits. L'examen médical était négatif. Stéphane mouillait son lit simplement parce qu'il n'avait jamais appris à se réveiller pour aller à la toilette.

Voici les conseils que nous avons donnés à Stéphane et à son père. D'abord, nous leur avons dit qu'il existait des techniques pour apprendre à Stéphane à se réveiller, la nuit, quand il avait envie d'uriner. Toutefois, la méthode suggérée leur demanderait à tous deux beaucoup d'efforts. C'est pourquoi, nous leur avons d'abord demandé de se choisir, à l'avance, un encouragement matériel qu'ils pourraient avoir seulement lorsque Stéphane aurait réussi à passer sept nuits d'affilée sans accident. Puisqu'ils étaient tous deux des mordus de course automobile, ils ont choisi d'assister à une course quand Stéphane aurait réussi à rester sec pendant sept nuits de suite.

Nous leur avons expliqué ce qu'ils auraient à faire. Puisque Stéphane était un pisse-minute, il dut d'abord commencer par des exercices de jour destinés à augmenter le volume de sa vessie. Pour ce faire, pendant plusieurs jours, il dut s'astreindre à boire beaucoup de liquide et à se retenir le plus longtemps possible avant d'aller uriner. Lorsque sa vessie fut assez distendue pour contenir une grande quantité d'urine, il put passer à l'entraînement de nuit.

Voici le déroulement de cet entraînement*

Une demi-heure avant de se coucher (vers 21 h 30), le père demande à Stéphane d'aller boire un verre de liquide. Ensuite, il lui demande de défaire son lit complètement et de le refaire (cet exercice vise à le rendre capable de changer ses draps et ses couvertures, s'il mouille son lit la nuit). Ensuite, il lui fait pratiquer 20 fois d'affilée l'exercice suivant: Stéphane, en pyjama, se couche dans sont lit et, les lumières éteintes, il fait semblant de dormir. Le père compte à voix basse jusqu'à 50, pendant que Stéphane imagine qu'il dort et qu'il a envie d'uriner. À 50, Stéphane se lève et va à la toilette faire semblant d'uriner. Il revient ensuite à son lit, se couche de nouveau et recommence le même exercice 20 fois d'affilée.

Avant de se mettre au lit définitivement, Stéphane va boire un ou deux autres verres de liquide dans le but d'augmenter encore davantage l'envie d'uriner pendant la nuit. Le père dit à Stéphane qu'il ira le réveiller à 23 hres, minuit et 1 hre. Il lui demande de se remémorer, dans les détails, ce qu'il aura à faire si, en demi-sommeil, il sent qu'il a envie d'uriner (se lever, se rendre à la toilette, uriner et retourner se coucher). Il lui demande aussi de répéter verbalement tout ce qu'il aura à faire s'il est sec quand son père ira le réveiller cette nuit (aller à la

---

* Un tel entraînement est inutile quand le mouillage de lit est causé par une trop grande nervosité. L'enfant nerveux peut avoir un sommeil agité, ou faire des cauchemars, ou avoir de la difficulté à s'endormir. On peut alors, généralement, résoudre le problème de nervosité et celui du mouillage de lit par des exercices de détente adaptés à l'âge de l'enfant.

toilette, boire un verre d'eau et répondre aux questions de son père). Il lui demande aussi de dire en détail ce qu'il aura à faire s'il est mouillé quand il ira le réveiller cette nuit (changer ses draps et son pyjama, boire un verre d'eau et recommencer 20 fois d'affilée l'exercice qu'il a fait avant de s'endormir).

À 23 hres, à minuit et à une heure, le père entre dans la chambre de Stéphane et le réveille le plus doucement possible, sans allumer la lumière.

Si le lit est sec:
— *Le père lui demande d'aller à la toilette. Une fois debout et bien réveillé, Stéphane peut choisir de retourner à son lit sans aller à la toilette, s'il pense qu'il peut se retenir encore.*
— *De toute façon, le père félicite Stéphane parce qu'il est sec.*
— *Il lui demande de répéter en détail ce qu'il aura à faire, s'il vient qu'à avoir envie d'uriner.*
— *Il lui demande aussi de répéter ce qu'il aura à faire s'il a un accident et mouille son lit.*
— *Il lui fait boire un verre d'eau (au dernier réveil, à 1 hre, il n'est pas recommandé de le faire boire) et lui souhaite "bonne chance".*

Si le lit est mouillé:
— *Le père ouvre la lumière et lui fait défaire seul son lit mouillé, changer de pyjama et porter les draps mouillés et le pyjama mouillé dans la boîte à linge sale.*
— *Il lui fait refaire seul son lit avec des draps secs.*
— *Il lui fait exécuter 20 fois d'affiliée les exercices de pratique faits au coucher.*
— *Il lui demande de boire un verre d'eau (sauf à 1hre) et lui souhaite "bonne nuit".*

Le lendemain, le père réveille Stéphane une demi-heure plus tôt que d'habitude. Si Stéphane n'a eu aucun accident pendant toute la nuit, il le félicite chaleureusement et il lui demande d'inscrire son succès bien en vue sur un calendrier. Au fur et à mesure qu'ils se lèvent, les autres membres de la famille sont informés du succès de Stéphane et ils le félicitent.

Si Stéphane a eu un accident au cours de la nuit, le père lui dit que ce n'est pas grave et qu'ils recommenceront les exercices le soir même; et il lui fait changer les draps de son lit. Par contre, quand Stéphane n'a pas mouillé son lit pendant la nuit, il n'a pas à recommencer l'entraînement le soir même. Si, la nuit suivante, il mouille son lit, il aura à recommencer son entraînement, et ainsi de suite jusqu'au succès complet.

Par contre, s'il devient évident que l'enfant est capable d'être propre, mais qu'il ne fait pas l'effort nécessaire (ex: il ne mouille pas son lit quand il dort ailleurs que chez lui), les parents exigent que l'enfant lave à la main les pyjamas et les draps qu'il mouille.

Chapitre XXVII

L'éducation sexuelle

EN MATIÈRE SEXUELLE COMME EN TOUTE AUTRE, LES PARENTS SERVENT DE MODÈLES.

L'enfant imite ses parents. Lorsque ceux-ci se traitent avec égalité et respect, qu'ils se démontrent de l'affection et du réconfort physiques, qu'ils valorisent leurs corps, la sensualité et le plaisir sexuel, cela facilite l'adaptation sexuelle des enfants.

Par contre, quand les parents ne valorisent pas le plaisir sexuel, éprouvent de la honte et du dégoût pour leur corps et leurs organes géniaux; quand la relation entre homme et femme n'est pas égalitaire; quand un père tyrannise, violente ou humilie son épouse et ses enfants; quand la mère se comporte en victime passive et dépendante de son conjoint; quand un père abuse sexuellement de ses enfants en les incitant ou en les forçant à lui donner du plaisir sexuel; quand une mère dispense à son fils ou à sa fille un amour sensuel et des baisers passionnés, qu'elle dort avec eux dans le même lit, les baignent, les coiffent et leur donnent des soins personnels excessifs pour leur âge, échange avec eux des paroles amoureuses et des gestes séducteurs*; alors l'adaptation sexuelle des enfants et leur santé mentale sont gravement compromises.

* Généralement, ces mères n'ont pas d'activités sexuelles génitales avec leurs enfants, et elles sont inconscientes de leurs désirs et de leurs actes "incestueux".

L'ÉDUCATION SEXUELLE NE SE LIMITE PLUS À UN COURS D'ANATOMIE SEXUELLE ET À UNE DESCRIPTION DU COÏT

Notre culture avait, jusqu'à présent, réduit le sexe au coït et à la reproduction. Mais cette définition, par trop restrictive de la sexualité, est en train de changer.

Dorénavant, la sexualité comportera, dans sa définition "officielle", tous les types d'intimité physique (d'une personne avec elle-même ou avec une autre) et toutes les formes de caresses et de contacts chaleureux des corps (avec ou sans coït).

Cette évolution apportera des changements importants dans les relations entre homme et femme, puisque les relations sexuelles ne devront plus **officiellement** aboutir nécessairement au coït.

RÉPONDRE AU FUR ET À MESURE QUE VIENNENT LES QUESTIONS

Les parents embarassés par les questions des enfants sur la sexualité ont tendance à éviter le sujet ou encore à vouloir faire en une fois l'éducation sexuelle de leur enfant. Ils croient faussement que l'enfant ou l'adolescent a tout compris après un cours d'anatomie sur papier ou sur film. Ils désirent régler "leur problème" une fois pour toutes.

L'individu (enfant et adolescent), lui, a besoin d'une vingtaine d'années, et parfois davantage, pour apprendre ce qu'est vraiment la sexualité.

Il ne faut pas s'étonner que l'enfant ou l'adolescent revienne souvent avec les mêmes questions. La plupart du temps, c'est qu'il n'a pas compris nos explications ou qu'il désire des explications complémentaires.

QUAND UN ENFANT OU UN ADOLESCENT POSE UNE QUESTION SUR LA SEXUALITÉ, NOUS DEVONS D'ABORD LUI DEMANDER QUEL EST LE SENS EXACT DE SA QUESTION

Un enfant de 4 ans qui demande d'où viennent les bébés ne s'attend pas à un cours d'obstétrique, ni à la description de relations sexuelles. Le parent doit alors s'enquérir de la version de l'enfant. Celui-ci répondra peut-être que les bébés viennent de l'hôpital ou du magasin. L'enfant sera alors très étonné d'apprendre qu'il vient du ventre de sa mère.

Par contre, une fille de 10 ans qui demande à sa mère d'où viennent les bébés ne pourra se satisfaire d'une réponse générale et imprécise. Une mère qui ne prend pas panique s'enquiert du sens de la question que lui pose sa fille.

Exemple:
— *"Dis-moi qu'est-ce que tu aimerais savoir exactement?"*

Alors, sa fille pourra préciser sa question ou exprimer son inquiétude:

Exemples:
— *"Je crois que je suis enceinte parce que j'ai embrassé un garçon."*
— *"Qu'est-ce que ça veut dire "faire l'amour"?"*

LA MASTURBATION EST UN COMPORTEMENT NORMAL QUE LES PARENTS DOIVENT APPROUVER DE FAÇON EXPLICITE

Une des premières réactions du bébé-garçon est d'avoir une érection. Le vagin du bébé-fille lubrifie dans les vingt-quatre heures qui suivent sa naissance. Entre l'âge de six mois et un an, les bébés découvrent leurs organes génitaux et les manipulent. Les enquêtes révèlent que plusieurs adultes, hommes et femmes, se souviennent de s'être masturbés jusqu'à l'orgasme vers l'âge de 4-5 ans.

Au lieu de défendre aux enfants de toucher à leurs organes génitaux, au lieu de tenter de détourner les enfants de la masturbation en les occupant à autre chose, les parents approuvent ouvertement ces comportements, tout en enseignant aux enfants que ces activités sexuelles doivent se faire "privément". Dans nos sociétés, en effet, la masturbation n'est pas considérée comme un comportement approprié en public. Certes, il s'agit là d'une convention, mais celle-ci vaut d'être respectée; à moins que nous acceptions que nos enfants soient rejetés par l'entourage à cause de leurs comportements sexuels exhibitionnistes.

C'est un âge crucial pour l'apprentissage du langage. Les parents avisés en profitent pour apprendre à leur enfant à nommer par leurs noms exacts les parties de son corps, y compris ses organes génitaux (pénis, testicules, vulve, clitoris, vagin).

Pour montrer à sa petite fille à identifier ses organes génitaux, la mère peut se servir d'un miroir et d'une lampe de poche. Il est important d'enseigner à la petite fille non seulement l'emplacement de son clitoris, mais surtout **la fonction de plaisir** rattachée à cet organe.

Le clitoris est en effet chez la femme l'organe qui procure l'orgasme. Il est malheureux que plusieurs petites filles, pour n'avoir pas découvert leur clitoris, ne développement pas suffisamment leur capacité érotique et, plus particulièrement, leur capacité de parvenir à l'orgasme.

PRÉVENIR LES ANXIÉTÉS DES ENFANTS ET DES ADOLESCENTS AU SUJET DE LEUR DÉVELOPPEMENT SEXUEL

Les parents ne devraient jamais refuser de répondre aux questions de leurs enfants au sujet de la sexualité. Ils ne devraient jamais manifester par leurs attitudes ou leurs paroles que ces questions les ennuient. Lorsque les parents sont réceptifs à ces questions, les enfants et les adolescents partagent volontiers leurs inquiétudes au sujet de leur développement sexuel.

Certains garçons, par exemple, posent des questions sur la normalité de leur pénis et de leurs testicules. D'autres s'inquiètent de leurs érections. D'autres se pensent anormaux parce qu'ils éjaculent ou simplement à la suite d'écoulements du sperme pendant le sommeil.

Les petites filles se demandent parfois pourquoi elles n'ont pas de pénis. Plus tard, elles peuvent s'inquiéter au sujet du développement de leurs seins ou de l'apparition de poils aux aisselles et au pubis.

Lorsqu'elles ne sont pas prévenues de leurs menstruations, l'apparition de ce phénomène peut provoquer une peur intense.

Quand les enfants et les adolescents ne posent pas de questions en matière sexuelle, les parents doivent aborder franchement ces sujets.

LA CURIOSITÉ SEXUELLE POUSSE PARFOIS LE JEUNE ENFANT À EXPLORER LES ORGANES GÉNITAUX DES AUTRES ENFANTS

L'exploration de ses organes génitaux et de ceux des autres enfants est normale. Cette activité ne devrait pas inquiéter les parents, pourvu qu'il ne s'agisse pas là du seul intérêt de l'enfant.

Gronder l'enfant, lui faire des reproches, le ridiculiser ou le punir pour sa curiosité sexuelle ou ses jeux sexuels risque de nuire à son développement affectif et sexuel.

NE PAS ATTENDRE JUSQU'AU MILIEU DE L'ADOLESCENCE AVANT DE COMPLÉTER L'ÉDUCATION SEXUELLE DES ENFANTS

Il ne faut pas attendre que le garçon ait des éjaculations et que la fille ait ses menstruations pour parler de ces phénomènes. De nos jours, plusieurs filles sont menstruées vers l'âge de 9 ans, et plusieurs adolescents ont des relations sexuelles avant l'âge de 12 ans.

Les enfants devraient, dès leur puberté, être entièrement informés sur la reproduction humaine, les réactions sexuelles de l'homme et de la femme, les moyens de contraception et les maladies transmises sexuellement.

En même temps, les parents discutent ouvertement avec leurs enfants de morale sexuelle, à savoir des principes élémentaires de comportements sexuels responsables. En particulier, les parents désapprouvent le sexisme, les abus sexuels (harcèlement sexuel, utilisation du mensonge, des menaces, de la force physique ou d'une situation de pouvoir pour obtenir des services sexuels). D'autre part, les parents mettent l'accent sur l'importance d'une relation égalitaire entre l'homme et la femme, de même que sur le respect de la liberté, de la santé et du plaisir du partenaire.

Il est démontré que plus les adolescents ont des connaissances approfondies en ces matières, plus ils ont tendance à retarder le moment de leurs premières relations sexuelles complètes (coït) et à utiliser des contraceptifs. Il s'ensuit nécessairement pour ces adolescents une réduction des grossesses non-désirées et des maladies transmises sexuellement.

LES PARENTS DOIVENT-ILS MONTRER OU CACHER LEURS CORPS NUS À LEURS ENFANTS?

Ce n'est pas la nudité, mais la séduction et les abus sexuels de certains parents qui causent à l'enfant des dommages psychologiques irréparables.

De fait, l'inceste* est plus fréquent dans les sociétés où la nudité et les relations sexuelles sont interdites en public que dans celles où la nudité est coutumière.

Chez eux, en famille, les parents devraient se permettre d'utiliser la salle de bain et leur chambre tout à leur aise, sans cacher leur nudité. Ils ne devraient pas s'inquiéter non plus quand, par hasard, un enfant les surprend en train de faire l'amour.

La sexualité et la nudité des parents font partie de la réalité des choses. Il vaut mieux pour l'enfant qu'il puisse voir les organes génitaux adultes plutôt que de devoir se les imaginer et ne pas vraiment savoir à quoi ils ressemblent. Il n'est cependant pas conseillé que les parents laissent l'enfant toucher à leurs organes génitaux.**

> * Il y a relation incestueuse quand un parent recherche des sensations érotiques, du plaisir sexuel ou une relation amoureuse avec son enfant. Les statistiques officielles mettent en relief la fréquence de l'inceste père-fille et père-fils. Tout porte à croire, cependant, qu'un nombre tout aussi important de mères sont impliquées dans des relations que l'on peut qualifier d'incestueuses, même si généralement, les mères n'ont pas de relations sexuelles coïtales ou génitales avec leurs fils et leurs filles (cf p. 295). La relation incestueuse (coïtale ou non-coïtale) cause des dommages psychologiques irréparables à l'enfant qui en est victime; elle conduit souvent à la dépression, parfois à la psychose ou au suicide.

> ** L'éducation sexuelle ne doit pas servir de prétexte à l'exhibitionnisme, à la séduction ou à d'autres actes incestueux. Les parents se doivent aussi de respecter les désirs d'intimité et de pudeur chez leurs enfants.

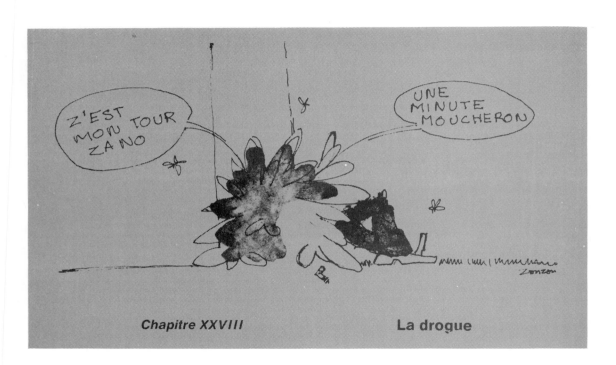

Chapitre XXVIII   La drogue

Dès leur entrée à l'école, les enfants doivent être renseignés par leurs parents sur le phénomène de la drogue, afin d'être en mesure de résister aux premières incitations à respirer de la colle, du vernis, de l'essence à briquet, de la térébentine ou d'autres produits volatils.

Les parents doivent expliquer calmement que ces produits sont poisons, même s'ils peuvent procurer des sensations agréables. L'absorption de ces produits cause de violents maux de tête, le mal de coeur et des vomissements. De fortes doses peuvent faire perdre conscience et même entraîner la mort par asphyxie.

C'EST L'USAGE RÉPÉTÉ OU L'ABUS D'UNE DROGUE QUI GÉNÉRALEMENT LA REND DANGEREUSE

Les dangers que présente l'abus de la cigarette et de l'alcool sont bien connus.

Quant à la marijuana, aucun spécialiste n'a encore identifié avec certitude, les dangers que présenterait un usage prolongé de cette drogue, mais sa possession est illégale.

Le L.S.D. (l'acide) devient de moins en moins populaire auprès des jeunes à cause de certains de ses effets indésirables et imprévisibles (mauvais voyages, réactions d'angoisse, réaction de folie, anxiété durable, effets à retardement (flashbacks)).

Les stimulants, tels les amphétamines (pep pills, speed, crystal), en plus du danger de la dépendance psychologique, rendent très souvent le sujet irritable. Celui-ci devient agressif, peut perdre son contrôle et poser des actes ayant de graves conséquences.

Les barbituriques (goof balls, sleeping pills) présentent aussi le danger de la dépendance psychologique. Une forte dose peut rendre le sujet agressif; une trop forte dose peut causer le coma et même la mort.

Les tranquillisants (downers) pris à très fortes doses, présentent les mêmes dangers que les barbituriques.

N'EXAGÉRONS PAS LES DANGERS DE LA DROGUE ET, SURTOUT, ÉVITONS LES BLÂMES, LES MENACES ET LES DÉFENSES AUTORITAIRES

Voici des conditions essentielles pour que l'enseignement des parents au sujet des drogues soit efficace :

— Que l'enfant et ses parents aient une affection et une considération mutuelles.
— Que les parents possèdent une bonne connaissance "intellectuelle" de chacune des drogues en circulation*. Il n'est pas recommandé aux parents d'expérimenter ces drogues illégales avec leurs adolescents.
— Avoir des discussions **franches** sur le sujet. Il est important que nous soyons calmes, que nous n'exagérions pas les dangers de la drogue et que nous évitions les blâmes, les menaces et les défenses autoritaires.
— Savoir **écouter d'abord,** et respecter l'opinion des enfants et des adolescents; ensuite, s'il y a lieu, savoir corriger cette opinion avec calme et objectivité.
— Savoir reconnaître que nous aussi, nous utilisons des drogues telles le café, les cigarettes, l'alcool, les tranquillisants, etc.

* **Lectures suggérées:**
— **Rapport de la Commission Le Dain, Imprimeur de la Reine, Ottawa.**
— **Laberge, R. et Faille, C.: Tout sur la drogue, Publications Eclair, 1973.**

Si vous ne voulez pas que votre jeune fume la cigarette, consomme de l'alcool, de la mari ou du hash, dites-le lui clairement. Ensuite, soyez conséquents avec vos instructions.

Par exemple, les parents qui défendent verbalement de faire entrer et de consommer des drogues illégales dans la maison, mais qui tolèrent que leurs enfants cachent de la mari supposément pour rendre service à des amis, ou qui en fument sous leur nez dans la maison, montrent clairement leur inconséquence.

Des parents plus conséquents s'empressent de jeter dans la toilette la drogue qu'ils découvrent dans la maison. Ils n'hésitent pas non plus à enlever des mains de leur jeune le "joint" qu'il vient d'allumer et à le jeter en renouvelant fermement leurs interdictions.

LE JEUNE QUI A UN SÉRIEUX PROBLÈME DE DROGUE REQUIERT UNE SUPERVISION DES PLUS ÉTROITES

Certes, ce jeune recherche attention, compréhension et affection; mais il a surtout besoin d'être contrôlé et dirigé. Dès lors, ne soyez plus crédules et ne vous laissez plus manipuler. Fouillez ses poches et sa chambre. Recherchez les produits qui dégagent une odeur forte (comme les colles, les solvants, le cirage à chaussures), les cannettes pressurisées, les poudres blanches, les pilules, les papiers à cigarettes, les bouteilles vides, les pipes, la marijuana, l'alcool, etc. Confisquez ces objets et ces substances, de même que les posters, dessins, décorations, vêtements et bijoux qui font la promotion de la drogue. Confisquez aussi tout argent de provenance suspecte et donnez-le à une organisation charitable. Que tous les membres de la famille surveillent dorénavant leur argent et leurs bijoux.

Ne laissez plus votre jeune seul à la maison. Interdisez-lui la fréquentation des personnes et des lieux (casse-croûte, arcades, dépanneur, pharmacie, etc) qui peuvent l'approvisionner en drogues ou l'inciter à en consommer.

Ne lui permettez plus de quitter la maison sans savoir où il va et avec qui (nom, adresse, téléphone); vérifiez ensuite s'il est là où il doit être. S'il triche, accompagnez-le ou faites-le accompagner dans tous ses déplacements (même pour aller à l'école).

Allez rencontrer les autorités scolaires et demandez-leur d'exercer sur lui une surveillance appropriée (avant les cours, sur l'heure du dîner, pendant les récréations) et de vous avertir s'il manque des cours ou se drogue à l'école.

Obligez-le aussi à choisir une ou plusieurs activités de loisirs offertes par votre communauté (sports, activités culturelles ou sociales) et à y participer avec assiduité. Assurez-vous cependant que ces activités sont étroitement supervisées par des adultes responsables.

Ce n'est qu'après plusieurs mois, lorsque vous aurez acquis la certitude raisonnable qu'il ne consomme plus de drogues, que vous pourrez de nouveau lui refaire graduellement confiance.

> N.B.: Ce chapitre résume et illustre un bon
> nombre d'explications et de suggestions
> contenues dans les chapitres précédents.

Chapitre XXIX

Comment changer le comportement d'un enfant difficile

POUR CHANGER LE COMPORTEMENT D'UN ENFANT DIFFICILE, IL EST SOUVENT NÉCESSAIRE DE PROCÉDER D'UNE MANIÈRE SYSTÉMATIQUE

Premièrement: Observer.
— *Les parents observent les comportements indésirables et les décrivent en détail.*
— *Ils identifient les circonstances et les événements qui précèdent ou qui suivent ces comportements indésirables.*
— *Ensuite, ils comptent le nombre ou mesurent la durée de ces comportements indésirables.*

Deuxièmement: Etablir une stratégie positive.
A l'aide de ces données, les parents établissent un programme dans lequel:
— *Ils changent (s'il est opportun de le faire) les circonstances et les évènements qui font augmenter la fréquence ou la durée de ces comportements indésirables.*
— *Ils encouragent les bons comportements par des encouragements matériels et verbaux.*

Troisièmement: Développer de nouveaux comportements.
Les parents veillent à faire acquérir à cet enfant de nouvelles habiletés et de nouveaux passe-temps qui lui procureront plaisir et satisfaction.

Quatrièmement: Punir si nécessaire.
Si nécessaire, les parents ajoutent aux mesures d'encouragements des comportements désirables, des mesures punitives qui visent à faire diminuer les comportements indésirables. Ces mesures consistent à isoler l'enfant pour de courtes périodes ou à lui retirer des privilèges immédiatement après ses comportements indésirables.

Observer les comportements:

Avant d'entreprendre un programme systématique pour changer le comportement d'un enfant, il faut d'abord observer l'enfant d'une manière systématique, afin d'identifier **en détail** les comportements indésirables, la **fréquence** à laquelle ils se produisent et les **circonstances** dans lesquelles ils se produisent.

Décrire en détail les comportements:

Il ne suffit pas de dire qu'un enfant est tannant, agressif ou agité; il faut être capable de décrire exactement ce qu'il fait. Ex: A telle heure, il donne un coup de poing à sa soeur; deux minutes plus tard, il lui enlève sa poupée; plus tard, il la bouscule ou il la mord; ou lui dit des noms; ou il lui lance de l'eau; ou il brise un jouet.

Mesurer les comportements:

Il est souvent difficile de savoir, selon la méthode ''à peu près'', dans quelle mesure change le comportement d'un enfant. C'est que nous sommes trop portés à évaluer ce que fait l'enfant selon nos émotions du moment. Par exemple, quand nous sommes déprimés, en colère ou fatigués, nous avons tendance à grossir ou exagérer la fréquence ou la durée des comportements indésirables de l'enfant et à nous décourager.

De plus, le comportement d'un enfant difficile change généralement d'une manière lente (qu'il s'agisse de progrès ou de reculs), de sorte qu'il est bien difficile de savoir exactement quel effet produit notre plan d'intervention. Pour toutes ces raisons, il est nécessaire de mesurer la fréquence ou la durée des comportements à changer, **avant, pendant** et **après** la mise en oeuvre de notre plan d'intervention.

Comment mesurer des comportements:
On compte le "nombre de fois" (ou on mesure la fréquence d'un comportement) quand on désire faire diminuer ou augmenter "le nombre de fois" qu'un comportement se produit.

Exemples:
On mesure:
- *Combien de fois un enfant désobéit ou obéit entre 16 heures et 17 heures.*
- *Combien de fois un enfant frappe sa soeur pendant la demi-heure qui suit le souper.*
- *Combien de fois un enfant fait une crise de colère entre 16 heures et 20 heures.*
- *Combien de fois par jour un enfant mord les autres.*
- *Combien de fois par semaine un enfant déchire volontairement ses vêtements.*
- *Combien de fois un enfant range ses vêtements ou ses jouets pendant une semaine.*

On mesure (avec une montre ou une horloge) "le temps que dure" un comportement quand on veut faire diminuer ou augmenter la "durée" d'un comportement.

Exemples:
On mesure:
- *Combien de temps un enfant peut rester assis pendant une émission de télé pour enfants d'une durée de 30 minutes.*
- *Combien de temps un enfant pleurniche avant de s'endormir.*
- *Combien de temps un enfant est attentif à une tâche.*
- *Combien de temps un enfant joue avec d'autres enfants du même âge.*
- *Combien de temps un enfant prend pour s'habiller le matin.*

Identifier les circonstances:

Pour bien comprendre comment se produit un comportement indésirable, il est important d'identifier avec minutie les circonstances et les événements qui précèdent et qui suivent ce comportement indésirable.

Exemples d'événements ou de circonstances qui précèdent des comportements indésirables:
— *Eric fait ses mauvais coups quand, précédemment, ses parents ont été occupés pendant trop longtemps à converser ou à accomplir une tâche, en oubliant de donner de l'attention à leur fils.*

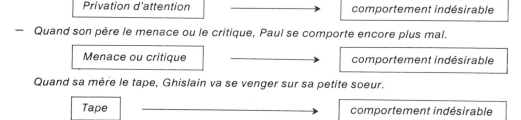

Privation d'attention	⟶	comportement indésirable

— *Quand son père le menace ou le critique, Paul se comporte encore plus mal.*

| Menace ou critique | ⟶ | comportement indésirable |

Quand sa mère le tape, Ghislain va se venger sur sa petite soeur.

| Tape | ⟶ | comportement indésirable |

— *Jean mouille son pantalon seulement quand il va jouer dehors pendant plus d'une heure à la fois.*

| Jouer dehors pendant plus d'une heure | ⟶ | comportement indésirable |

Exemples de circonstances ou d'événements qui suivent des comportements indésirables:

— *Pierre, qui accompagne ses parents au magasin, fait une crise pour avoir des bonbons. D'abord, ceux-ci le cajolent et le supplient de se taire; Pierre continue quand même à pleurer et à insister; ses parents se fâchent et menacent de le frapper et de le faire garder la prochaine fois qu'ils iront au magasin; Pierre devient de plus en plus désagréable; pour avoir la paix, son père lui achète des bonbons.*

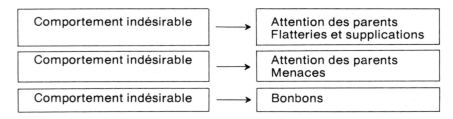

Changer les circonstances et les événements qui font augmenter le nombre de comportements indésirables

Exemples: *

— *Dorénavant, quand ils feront la conversation ou s'adonneront à d'autres occupations, les parents d'Eric n'oublieront plus d'accorder, de temps en temps, quelques secondes d'attention à leur fils* **avant** *que celui-ci commence à mal se comporter.*
— *Le père de Paul évitera, à l'avenir, de menacer et de critiquer son fils.*
— *Quand Jean ira jouer dehors, ses parents le feront rentrer de temps en temps pour "faire pipi".*
— *Quand Pierre fera une crise au magasin, ses parents éviteront désormais de lui donner un surcroît d'attention et de céder à ses désirs. Ils lui diront un "non!" ferme, sans ajouter une seule parole. Si nécessaire, ils le contrôleront par la force physique, mais sans converser avec lui.*

---

* **Ces exemples font référence aux pages 317 et 318.**

Faire suivre les comportements désirables par des encouragements matériels:

L'enfant difficile doit faire un effort tellement considérable pour se bien comporter que des encouragements verbaux seront insuffisants à eux seuls pour le motiver à changer. C'est pourquoi, il est nécessaire de donner à l'enfant des encouragements matériels en même temps que des encouragements verbaux et gestuels.

Bien choisir ses encouragements matériels:

Les encouragements matériels ne sont pas les mêmes pour tous les enfants. Chacun d'eux a ses préférences. Telle friandise peut motiver tel enfant à donner le meilleur de lui-même, alors qu'elle laisse un autre enfant parfaitement indifférent. Pour tel enfant, la plus belle récompense, c'est un verre de jus de tomate; un autre enfant peut préférer les caramels ou le sucre à la crème; un autre, regarder les dessins animés à la télé; un autre, recevoir un livre comique; un autre, avoir la permission de rentrer plus tard à la maison; un autre, de l'argent pour dépenser ou économiser.

Il est toujours préférable de demander à l'enfant quel encouragement matériel il aimerait gagner. Si sa demande n'est pas raisonnable, nous pouvons toujours lui faire faire un autre choix ou lui offrir autre chose.

Faire en sorte que l'enfant puisse développer des habiletés nouvelles:

Un enfant qui développe des habiletés à travailler et à jouer, ou encore des habiletés dans des activités sportives ou culturelles (et qui en retire suffisamment de plaisir et de satisfaction), n'a généralement ni le désir, ni le temps de s'adonner à des activités indésirables.

L'enfant difficile, plus que tout autre, a besoin de développer au maximum ses habiletés dans plusieurs domaines. S'il est guidé et encouragé avec compétence, il arrivera à découvrir des intérêts et à tirer plaisir de toutes sortes de travaux (intellectuels ou manuels) et de loisirs (ex: jeux, radio, télé, collection, casse-tête, lecture, promenade, mécano, bricolage, arts plastiques, musique, danse, scoutisme, athlétisme, sports individuels et sports d'équipe).

Si nécessaire*, ajouter des mesures punitives:

Lorsque les parents constatent que l'attribution d'encouragements matériels et verbaux ne produit pas, dans un délai raisonnable, d'améliorations significatives chez l'enfant, ils ajoutent au programme existant des mesures punitives (comme l'isolement et le retrait de privilège; cf. chapitre X).

---

* Nous supposons ici que les parents ont suivi à la lettre les règles d'efficacité décrites au chapitre V; qu'ils n'ont pas mêlé le vinaigre de leurs critiques et de leurs provocations avec le miel de leurs encouragements; qu'ils ont fait un choix judicieux d'encouragements matériels; qu'ils ont changé ou modifié les circonstances entourant l'émission des comportements indésirables et qu'ils ont bien mesuré les comportements à changer avant et pendant la mise en oeuvre de leur plan d'intervention.

Un exemple:

Yvan a quatre ans et demi. Son comportement inquiète beaucoup ses parents. Ceux-ci, après avoir consulté, ont entrepris, avec l'aide d'un conseiller. de changer le comportement de leur fils. La mère a observé Yvan cinq jours d'affilée pendant une heure. Elle a découvert qu'Yvan avait, le premier jour, enlevé les jouets de sa soeur 2 fois, l'avait frappée une fois; avait désobéi 2 fois, et n'était resté assis que 3 minutes pour regarder la télé.

Le deuxième soir, pendant l'heure d'observation, il avait lancé de l'eau à sa soeur trois fois, l'avait frappée une fois et lui avait enlevé sa poupée une fois; il ne s'était pas assis une seule fois pendant l'heure d'observation et il avait désobéi 4 fois.

Le troisième jour, la mère avait observé Yvan pendant l'heure du souper au lieu d'après le souper: Yvan était resté assis pendant 6 minutes environ, était sorti de table 3 fois pendant le repas et il avait donné quelques coups de pied à sa soeur par dessous la table.

Le quatrième soir, un samedi, pendant l'heure d'observation, Yvan avait bougé sans arrêt, mais n'était intervenu que deux fois auprès de sa soeur pour lui faire des grimaces.

Le cinquième jour d'observation, le lundi, Yvan avait désobéi 2 fois, avait frappé sa soeur 2 fois, l'avait bousculée une fois, lui avait crié des noms 5 fois, et il n'était resté assis que deux minutes.

18h.30: Yvan frappe sa soeur. Quand j'interviens, il se sauve

18h.35: Il menace encore de frapper sa soeur.

18h.41: Yvan enlève une poupée des mains de Linda. Il va et vient dans la maison. Il abandonne la poupée et court après le chat.

18h.57: Il n'obéit pas quand je lui demande d'aller me chercher une serviette en papier. Il bouge continuellement.

19h.12: Yvan enlève à Linda la maisonnette avec laquelle elle jouait. Il rit en s'enfuyant.

19h.15: Il s'asseoit par terre et regarde la télé pendant trois minutes.

19h.25: Je demande deux fois à Yvan de venir prendre son bain: il ne vient pas; il court d'un bord à l'autre de la cuisine. Finalement, je dois l'attraper et l'amener par la main jusqu'à la salle de bain.

En examinant ces observations, la mère a conclu que le petit nombre de mauvais comportements du troisième et du quatrième jours était dû à la présence de son mari à la maison pendant l'heure d'observation. Elle a décidé que le programme ou le contrat qu'elle ferait avec Yvan serait en vigueur uniquement sur semaine et, pour commencer, sur une période d'une heure par jour, après le départ du père (après le souper). Pour établir une moyenne des mauvais comportements observés, elle s'est servie uniquement des observations du premier, du deuxième et du cinquième jours:

- **Frapper sa soeur** : $(1 + 1 + 2)/3$ $= 1.3$*

- **Enlever des choses à sa soeur** : $(2 + 1 + 0)/3$ $= 1$

- **Taquiner sa soeur** : $(0 + 3 + 5)/3$ $= 2.6$

- **Désobéissances** : $(2 + 4 + 2)/3$ $= 2.6$

- **Bouge, court et touche à tout** : $(57\ \text{min.} + 60 + 58)/3 = 58.3\ \text{min.}$

* **Ces moyennes serviront plus tard à évaluer les progrès d'Yvan. Il s'agira alors de comparer les moyennes d'observation futures aux moyennes de cette période d'observation.**

	1er JOUR	2e JOUR	5e JOUR	TOTAL	MOYENNE
Frapper sa soeur	1	1	2	4	1.3
Enlever des choses à sa soeur	2	1	0	3	1.0
Taquiner sa soeur	0	3	5	8	2.6
Désobéissances	2	4	2	8	2.6
Bouge, court et touche à tout	57/60 minutes	60/60 minutes	58/60 minutes	175/180 minutes	58.3/60 minutes

La mère a décidé de commencer par les choses les plus faciles à changer, soit l'attitude d'Yvan envers sa soeur et envers elle-même. Pour le moment, elle ne s'occupe pas de corriger l'agitation d'Yvan.

Voici le programme qu'elle a proposé à Yvan. Chaque soir, dans l'heure qui suit le départ de son père, Yvan a la possibilité de gagner 8 étoiles, soit 5 étoiles pour la bonne entente avec sa soeur et 3 étoiles pour obéir à sa mère (la mère va faire en sorte de lui faire au moins 3 demandes afin qu'Yvan ait la possibilité d'obéir). Ces étoiles sont collées sur une feuille placée bien en vue dans la cuisine. Pour la première semaine (5 jours), Yvan doit accumuler 20 étoiles pour aller avec ses parents et sa soeur manger une crème glacée. La mère divise donc sa feuille en 20 carreaux égaux et indique à Yvan qu'il obtiendra son cornet quand la feuille sera remplie d'étoiles.

En même temps, la mère prend la résolution de cesser de critiquer Yvan et de crier après lui pour ses mauvais comportements. Elle prend soin non seulement de **féliciter** Yvan pour les étoiles qu'il gagne pendant l'heure de pratique, mais de lui **manifester son contentement** et son approbation pour ses bons comportements aux autres moments de la journée.

---

* **Pour établir le nombre d'étoiles à gagner, la mère a tenu compte des difficultés d'Yvan manifestées lors de la période d'observation.**

★	★	★		

Si Yvan remplit sa feuille d'étoiles pendant la première semaine, la mère établit un second programme semblable au premier, mais, cette fois, en augmentant de cinq le nombre d'étoiles à gagner pour recevoir un encouragement matériel.

Dans la troisième semaine, si Yvan a encore gagné ses étoiles, la mère peut encore augmenter de cinq le nombre d'étoiles à gagner pour mériter un encouragement matériel.

Dans la quatrième semaine et les semaines subséquentes, la mère peut augmenter d'une demi-heure à la fois la période de temps où elle exige des bons comportements de la part d'Yvan, si elle croit que ce dernier est capable de progresser à ce rythme.

Si, une semaine, Yvan ne réussit pas à gagner l'encouragement matériel promis, la mère garde les étoiles accumulées et le même programme pour la semaine suivante jusqu'à ce qu'Yvan réussisse à obtenir cet encouragement matériel*.

* Autres encouragements matériels choisis par Yvan: Aller au Jardin des merveilles; faire une ballade en métro; visiter une tante; gagner des sous blancs pour mettre dans son "cochon"; des petites voitures en plastic; des "balounes" et du chocolat.

Tout au long du programme, la mère continue de mesurer exactement les comportements à changer. Pendant l'heure qui suit le départ du père, la mère observe discrètement Yvan et note la nature et la fréquence de ses comportements indésirables.

	Lundi	Mardi	Mercredi	Jeudi	Vendredi	Moyenne
Frapper sa soeur						
Enlever des choses à sa soeur						
Taquiner sa soeur						
Désobéir						

Si Yvan continue de frapper sa soeur sans aucune amélioration, la mère ajoute au programme existant un système de punitions. Avant d'instaurer ce système, les parents doivent aussi s'assurer qu'ils ne provoquent pas eux-mêmes Yvan à frapper sa soeur en étant injustes avec lui. Après s'être assurés de leur impartialité, les parents peuvent décider d'user de mesures punitives. Chaque fois qu'Yvan frappera sa soeur (à n'importe lequel moment de la journée), il sera **immédiatement** puni par 3 minutes d'isolement. La mère ne doit pas s'étonner si, pendant les premiers jours de l'application de ce programme, Yvan a un comportement encore pire qu'auparavant. Yvan pourrait ainsi viser à décourager sa mère et l'inciter à abandonner le programme.

Si le comportement d'Yvan ne s'améliore pas, ou encore cesse soudainement de s'améliorer après un certain temps, cela peut être dû à une ou à plusieurs de ces raisons:

— *L'étape en question est trop difficile à réussir pour Yvan, en ce sens que le nombre d'étoiles à gagner pour obtenir l'encouragement matériel est trop élevé ou leurs conditions d'obtention trop sévères.*
— *L'encouragement matériel choisi n'est pas assez intéressant pour Yvan.*
— *Les parents ne font pas assez d'efforts pour **féliciter** Yvan pour ses bons comportements.*
— *Ils oublient d'encourager l'enfant par des étoiles et des approbations **immédiatement** après les bons comportements.*
— *Ils lui font des critiques ou des remarques désobligeantes (ils mêlent le miel avec le vinaigre).*
— *Ils lui donnent des étoiles et des encouragements matériels qu'il n'a pas gagnés.*
— *Ils oublient d'isoler Yvan **chaque fois** et **immédiatement après** qu'il frappe sa soeur.*

Après plusieurs semaines, quand Yvan a acquis les bons comportements désirés, à savoir une bonne entente avec sa soeur et une obéissance "normale" à sa mère (il ne s'agit pas d'obtenir une conduite parfaite, mais une conduite "normale" pour l'âge de l'enfant), les parents établissent alors, avec l'aide de leur conseiller, un second programme avec des encouragements matériels pour aider Yvan à améliorer sa capacité d'être attentif à une seule tâche (activité ou jeu) à la fois. En effet, au cours des observations précédentes, la mère avait observé qu'Yvan ne pouvait se concentrer plus que deux ou trois minutes à la fois sur un jeu ou une activité donnée.*

Cette fois, c'est le père qui se charge de mener à bien ce projet. Il fixe l'heure d'exercice à 11 heures, les mardi, mercredi et jeudi de chaque semaine. Voici comment il procède.

D'abord, il se cherche un coin tranquille et peu distrayant pour l'enfant. Il choisit finalement une petite pièce du sous-sol où Yvan sera loin de la fenêtre, loin de ses jeux, loin de sa mère, de sa soeur et des autres personnes, bruits ou objets qui pourraient être source de distractions. Il enlève de cette pièce tous les meubles et objets qui s'y trouvent. Il y installe, pour tout mobilier, une table et deux chaises.

---

* **Parallèlement à ces programmes, il est indiqué qu'un enfant hyperactif bénéficie d'un entraînement à la relaxation par la méthode des mouvements passifs. Les parents participent à cet entraînement de manière à pouvoir faire faire à leur enfant au moins une période de relaxation par jour pendant plusieurs mois.**

Le père choisit un certain nombre d'activités en fonction de l'âge, des capacités et des intérêts de son fils. Le père ne fera, cependant, qu'une seule activité par jour d'exercice.

1- Sabler une petite planche.

2- Tracer des lignes et des cercles (le père trace le modèle et demande à Yvan de le reproduire).

3- Feuilleter un catalogue ou une revue en nommant les objets (c'est quoi ça?) et en décrivant les actions (qu'est-ce qu'il fait le garçon?).

4- Trier un jeu de cartes: les rouges d'un côté, les noires de l'autre; ensuite: les coeurs d'un côté, les carreaux de l'autre et les piques d'un côté, les trèfles de l'autre.

5- Enfoncer avec un maillet en bois des chevilles de bois dans une planche perforée à cette fin.

6- Assembler des puzzles faciles. Ces puzzles ont de quatre à dix morceaux et ils sont faits de bois ou de carton très épais.

Le père choisit également avec soin un moyen d'encourager Yvan à travailler. Puisque Yvan adore la gomme à mâcher et le chocolat, le père fait provision de ces précieuses denrées.

Quand arrive l'heure de l'exercice, le père invite Yvan à venir avec lui en lui disant: "Maintenant, c'est l'heure d'aller travailler pour gagner de la gomme (ou du chocolat)!"

Quelques minutes auparavant, le père a déposé sur la table le matériel nécessaire (ex: planche et papier sablé). Il est important que le père s'en tienne à **une seule** activité par période de travail, le problème d'Yvan étant justement son incapacité d'être attentif à **une seule** tâche à la fois.

Le père présente ensuite le travail à faire en servant brièvement de modèle: "Regarde bien comment je fais". Le père s'en tient à cette très brève démonstration et demande immédiatement à Yvan de s'exécuter: "Maintenant, c'est ton tour!"

Le père, sachant déjà qu'Yvan est capable de faire facilement trois minutes de travail, attend à la fin de ce trois minutes avant de remettre à Yvan la pièce de gomme ou de chocolat tant convoitée. Il l'encourage verbalement pendant l'exécution de son travail et, quand le travail est terminé, il le félicite chaleureusement pour son travail en lui remettant sa pièce de gomme ou de chocolat. La première séance de travail ne dure que trois minutes.

Lors des deux prochains exercices, le père exige trois minutes et trente secondes de travail avant la remise de la gomme ou du chocolat. Si Yvan franchit cette étape sans difficulté, le père peut étendre à quatre minutes la période de travail pour le quatrième, le cinquième et le sixième jour. En cas de difficulté, toutefois, le père limite la durée de l'exercice à la durée de l'exercice précédent qui a réussi.

Si Yvan fait une crise et lance le matériel ou sa chaise ou la table par terre, ou encore s'il quitte son siège pour courir dans la pièce, le père cesse de lui parler et détourne de lui son regard pendant deux minutes. Après deux minutes, si Yvan s'est calmé, le père lui demande de venir se rasseoir et de remettre les choses à leur place avant de recommencer son travail. Si Yvan est encore en crise après les deux minutes, le père continue de l'ignorer jusqu'à ce qu'il soit certain que sa crise est bien finie. Alors, il lui demande de remettre les choses à leur place et de reprendre son travail.*

* **Si le père cessait l'exercice parce qu'Yvan s'oppose et fait une crise, il encouragerait ainsi Yvan à faire d'autres crises et à s'opposer plus souvent encore dans l'avenir devant la moindre difficulté.**

Le père augmente très graduellement, de quelques minutes à la fois, la durée des exercices. Après plusieurs semaines, lorsqu'Yvan est capable d'être facilement attentif à une activité pendant quinze ou vingt minutes, le père cesse ces exercices réguliers.

Toutefois, le père ne néglige pas de faire, de temps à autre, des activités avec son fils, ni de l'encourager quand celui-ci se montre capable de s'occuper tout seul ou avec d'autres pendant de longs moments.

Enfin, puisqu'Yvan semble plus prêt à participer à des activités en dehors de la maison, les parents s'informent des ressources récréatives et d'enseignement de leur quartier afin de choisir avec Yvan des activités d'apprentissage et de loisir susceptibles de l'intéresser et de le développer.

Chapitre XXX

Les désaccords des parents

Un bon dialogue entre conjoints implique aussi, nécessairement, l'expression des sentiments négatifs comme la tristesse, la déception, le mécontentement et la colère.

Il suppose que les conjoints expriment ouvertement leurs désaccords, s'affrontent à l'occasion et solutionnent leurs conflits, et ce même en présence des enfants. *

---

* Les parents doivent, en effet, servir de modèles à leurs enfants. Comment pourraient-ils leur enseigner "en cachette" à exprimer "ouvertement", "directement" et "honnêtement" leurs sentiments négatifs? Comment pourraient-ils autrement leur enseigner à solutionner des désaccords entre conjoints?

PARFOIS, LE HUIS-CLOS S'IMPOSE

La discussion de certains désaccords, surtout ceux qui risquent de saboter l'autorité du conjoint auprès des enfants, de le faire mal paraître ou de le discréditer à leurs yeux, devrait généralement se faire entre conjoints seulement, à l'écart des enfants.

En cette matière, il n'y a pas de règles absolues. A chaque fois, les conjoints doivent tenir compte des circonstances particulières, tout autant que de leur manière habituelle de se confronter, pour décider si le huis clos s'impose.

Les conjoints qui se cachent mutuellement leurs désaccords et leurs insatisfactions ont généralement tendance à diriger leur colère mutuelle contre leurs enfants. Plutôt que de se chicaner ensemble, ils préfèrent chicaner un de leurs enfants.

L'enfant qui écope le plus souvent le trop plein de la colère conjugale devient alors le mouton noir de la famille, l'indésirable à qui la famille attribue, par la suite, tous les torts.

ÉVITER DE PRENDRE LES ENFANTS À TÉMOIN ET DE FAIRE DES ALLIANCES AVEC EUX CONTRE LE CONJOINT

Les conjoints doivent montrer aux enfants à ne pas se mêler des conflits de leurs parents.

Surtout quand il s'agit de désaccords au sujet des enfants, les parents doivent interdire aux enfants de s'immiscer dans la conversation et de prendre parti pour l'un ou pour l'autre.

Les parents doivent régler leurs problèmes conjugaux ensemble, sans demander l'avis des enfants et sans tenter de se servir d'eux contre l'autre conjoint. *

* Cette règle doit guider le comportement des conjoints en toutes circonstances et surtout à l'occasion d'une séparation ou d'un divorce.

L'IMPORTANT, C'EST QUE LES PARENTS EN VIENNENT À DES DÉCISIONS COMMUNES CONCERNANT LES ATTITUDES À PRENDRE AVEC LES ENFANTS

Lorsqu'un conjoint n'est pas d'accord avec son partenaire au sujet de l'attitude à prendre avec les enfants, il doit discuter et, si nécessaire, argumenter avec lui pour en venir, sinon à un accord commun, du moins à des décisions et à des exigences communes à l'égard des enfants.

La discussion des désaccords n'est pas une fin en elle-même. Pour être valable, elle doit généralement aboutir à des décisions conjointes. Il est, en effet, important que les deux parents aient des demandes et des exigences semblables face aux enfants, afin que ceux-ci sachent à quoi s'en tenir, au moins avec leurs parents. Ils auront déjà suffisamment de difficultés à démêler par la suite les demandes et les exigences contradictoires des autres adultes (gardiennes, grands-parents, oncles et tantes, professeurs, parents de leurs petits amis, etc.).

DONNER LE TEMPS À SON CONJOINT DE SE CORRIGER LUI-MÊME DE SES ATTITUDES ÉDUCATIVES INADÉQUATES

Il arrive qu'un des conjoints, parce qu'il n'a pas encore appris à éduquer les enfants, fasse des règles trop sévères, ou encore donne des punitions trop longues et trop dures.

Si l'autre conjoint intervient immédiatement (ouvertement ou en cachette) auprès des enfants pour adoucir ces règles et ces punitions excessives, ou encore profite de l'occasion pour partir immédiatement une petite bagarre avec son partenaire, il y a peu de chances que le conjoint inexpérimenté puisse, un jour, apprendre à intervenir correctement auprès des enfants.

Par contre, si le conjoint inexpérimenté doit supporter les conséquences des règles absurdes qu'il a édictées ou des punitions excessives qu'il a données, il aura bien vite fait de changer d'idée et de se corriger lui-même. Si cela ne se produisait pas dans un délai raisonnable, il serait toujours temps pour le conjoint plus averti de faire ses suggestions ou d'exprimer son désaccord.

SAVOIR SE DONNER DU TEMPS POUR PRENDRE DES DÉCISIONS

Bien des désaccords pourraient être évités, si les parents savaient se donner du temps pour réfléchir ou pour discuter avant de prendre des décisions concernant les enfants, de répondre à leurs demandes ou de leur accorder des permissions.

L'enfant a l'air si pressé quand il fait une demande, que ses parents ont trop souvent l'impression de faire face à une situation d'urgence. Et quel parent ne voudrait pas paraître tout savoir tout de suite et pouvoir donner une réponse immédiate à son enfant?

Et pourtant, il n'y a pas d'urgence — ou si rarement — et notre jugement est loin d'être si vif et si infaillible. Les parents vraiment sages ont appris à faire attendre leur enfant en avouant bien humblement "qu'ils vont y penser", "qu'ils ont besoin de réfléchir avant de prendre une décision", ou encore "qu'ils vont en discuter".

LES CONJOINTS DOIVENT ÉVITER DE SE DONNER DES "COUPS BAS"

Les conjoints qui s'affrontent dans des conflits doivent éviter de se blesser. Une confrontation conjugale n'est pas un "match" de boxe. Les boxeurs qui se donnent des "coups bas" ont le privilège de pouvoir se séparer après un "match", alors que les conjoints sont obligés de rester ensemble sous un même toit. Aussi, les conjoints doivent-ils veiller à ne pas se blesser.

En exprimant leurs désaccords et leur colère mutuelle, les conjoints doivent éviter de se ridiculiser ou encore de se traiter de tous les noms (ex: stupide, alcoolique, fou, niaiseux, égoïste, menteur, vache, chien, etc.). Ils doivent éviter d'attaquer la masculinité et la féminité de leur conjoint (ex: "Tu n'es pas un homme!"; "Une vraie femme ne se laisse pas ainsi conduire par les enfants!"; "Si t'étais vraiment un homme, tu saurais te faire écouter!"). Ils doivent aussi éviter d'attaquer la famille du conjoint (ex: "Là, tu raisonnes comme ta mère!"; "Tu es bien comme ton père: un mou!"). Ce sont là des attaques qui suscitent une haine et une rancune trop grande.

LE DROIT DES PARENTS À UNE VIE DE COUPLE ÉPANOUISSANTE ET À LA SATISFACTION DE LEURS ASPIRATIONS INDIVIDUELLES

Les parents doivent se réserver une vie de couple, c'est-à-dire du temps et des activités exclusives à eux-deux comme couple, tant à la maison qu'à l'extérieur du foyer.

Chacun des conjoints doit aussi apprendre à accepter les différences et les aspirations individuelles de l'autre conjoint. Par ailleurs, chacun d'eux a la responsabilité de faire respecter son individualité par l'autre conjoint.

De telles exigences chez le couple moderne ne vont pas sans désaccords ni conflits. Elles demandent de chaque conjoint une grande tolérance, une grande permissivité et une grande générosité pour arriver à négocier des conditions de vie satisfaisantes pour toute la famille.

— Conclusion —

L'ENFANT A DES SENTIMENTS COMME LES NÔTRES

Nous aimons être écoutés et compris; lui aussi.

Nous voulons que les autres nous permettent d'exprimer tous nos sentiments, même les plus négatifs comme notre tristesse, nos déceptions, notre jalousie, notre colère et notre haine; lui aussi.

Nous n'aimons pas que notre présence soit ignorée, qu'on nous mette de côté; lui non plus.

Nous désirons que les autres nous expriment leur considération et leur affection; lui aussi.

Nous voulons que les autres nous parlent avec respect; lui aussi.

Nous n'aimons pas que les autres nous insultent ou soient impolis à notre égard; lui non plus.

Nous n'aimons pas être désapprouvés et blâmés quand nous faisons de notre mieux, ni être critiqués quand, sans le faire exprès, nous commettons des erreurs; lui non plus.

Nous n'acceptons pas qu'on nous menace, qu'on nous frappe, qu'on nous ridiculise, ni qu'on nous punisse sans motif valable; lui non plus.

Nous détestons qu'on nous fasse la leçon; lui aussi.

Nous sommes vexés par les flatteries et les compliments mensongers; lui aussi. Nous avons en horreur les contrôles excessifs et les contraintes étouffantes; lui aussi.

Nous souhaitons cependant de tout coeur que les autres voient notre travail et apprécient nos efforts, nos progrès et nos succès; lui aussi.

Comme nous, l'enfant a besoin d'encouragements fréquents. C'est en effet grâce à ces encouragements habilement dispensés qu'il apprendra à tirer plaisir et satisfaction de ses jeux, de son travail et de ses nombreuses activités. Comme nous, il lui faut tout cela pour être heureux.

TABLE DES MATIÈRES

Références

Becker, Wesley C. (1971): **Parents are Teachers:** A Child Management Program, Research Press.

Dodson, Fitzhugh (1970): **How to Parent,** Nash Publications.

Ginott, H.G. (1965): **Between Parent and Child:** New Solutions to Old Problems, MacMillan.

Ginott, H.G. (1969): **Between Parent and Teenager,** MacMillan.

Kazdin, A.E. (1975): **Behavior Modification in Applied Settings,** The Dorsey Press.

Krumboltz, J.D. and H.B. (1972): **Changing Children's Behavior,** Prentice-Hall, Inc.

Whaley D.L. and Malott, R.W. (1971): **Elementary Principles of Behavior,** Prentice Hall, Inc.